QUE SAIS-JE ?

Le surréalisme

YVONNE DUPLESSIS

Dix-huitième édition mise à jour

129ᵉ mille

D0682159

DU MÊME AUTEUR

La vision parapsychologique des couleurs, Paris, Épi, 1974 (épuisé).
Les couleurs visibles et non visibles, ouvrage collectif, Monaco, Édi-
    tions du Rocher, 1984 (épuisé).
Une science nouvelle : la dermo-optique, Monaco, Éditions du Ro-
    cher, 1996.
L'aspect expérimental du surréalisme, IMG Éditions, 1998.

ISBN 2 13 053581 X

Dépôt légal – 1re édition : 1950
18e édition mise à jour : 2002, décembre

© Presses Universitaires de France, 1950
6, avenue Reille, 75014 Paris

INTRODUCTION

Le Surréalisme est souvent considéré comme un sno-
bisme intellectuel, une dépravation de l'esprit ou une
plaisanterie d'artistes désireux d'étonner à tout prix,
tant il est plus facile de jeter l'anathème contre les no-
vateurs qui s'élancent hors du cercle des préjugés que
d'essayer de les suivre dans leurs aventures insolites !
Or le but des Surréalistes est extralittéraire car il ne
vise à rien moins qu'à libérer l'homme des contraintes
d'une civilisation trop utilitaire. Pour le secouer de sa
torpeur il fallait insister sur tout ce qui pouvait le dé-
router, il fallait délibérément tourner le dos à l'intelligence et retrouver les forces vitales de l'être pour que
leurs flots tumultueux le soulèvent vers un horizon enfin élargi.

La première démarche à entreprendre était donc la récupération de toutes ces énergies méconnues, aussi selon
André Breton, le Surréalisme, au point de vue philosophique, repose-t-il « sur la croyance à la réalité supérieure de certaines formes d'association négligées jusqu'à
lui, à la toute-puissance du rêve, au jeu désintéressé de la
pensée ». L'abandon à l'automatisme permet une descente en soi-même vers le domaine de désirs refoulés
d'une part, de pressentiments de l'autre.

L'art étant un moyen d'expression de ce flux des états
psychiques profonds, on apprécie du seul point de vue
esthétique les œuvres ainsi engendrées alors qu'elles reflè-
tent une Sur-Réalité qui souvent nous dépasse. André
Breton rappelle d'ailleurs sans cesse qu'après s'être laissé
emporter par son imagination, le poète doit remonter à
la surface de lui-même afin d'enrichir sa personnalité des
trouvailles faites lors de ses plongées.

Les surréalistes s'appuient d'abord sur la psychanalyse parce que Freud, en rationalisant pour ainsi dire le subconscient, avait porté un coup mortel aux croyances spirites en des voix occultes ou au mythe d'une évasion dans un univers supraterrestre. Plusieurs des ouvrages d'André Breton montrent ainsi que des événements attribués à la chance ou à l'adversité ne font qu'exprimer le dynamisme d'instincts inhibés par les conventions sociales. C'est alors que la Sur-Réalité se rapproche de la réalité pour ne plus désigner en fait que la synthèse de l'en-deçà du réel et du réel.

Si la psychanalyse permit aux Surréalistes d'interpréter un aspect des données de leurs expériences, ils voulurent cependant encore la dépasser. Il ne suffit pas en effet de révéler à l'homme ses richesses intérieures, il faut encore qu'il puisse les réaliser. Ainsi à la révolte individuelle de l'esprit doit se substituer une action effective de bouleversement social. La psychanalyse trouve son complément dans le marxisme qui supprime les obstacles au libre épanouissement de l'être. L'individu ne doit plus se scinder en deux parties hostiles, mais ses actes doivent pouvoir s'harmoniser avec ses tendances profondes. La Surréalité s'enrichira encore d'une donnée nouvelle, en devenant la synthèse de la théorie et de la pratique.

Donc loin de se réfugier dans des tours d'ivoire, les Surréalistes ne visent qu'à les démolir par la transformation de l'existence humaine, afin que les victimes de la réalité ne cherchent plus à la fuir, mais au contraire à influer sur elle pour la rendre conforme à leurs aspirations. Et de même que le mouvement surréaliste a commencé par s'opposer à toute conception de l'Art pour l'Art, il rejettera toute doctrine de la Révolution pour la Révolution, de sorte que ceux qui ne le voient que sous l'un ou l'autre de ces aspects méconnaissent son but le plus authentique.

La notion de Surréalité a évolué, mais ses différents sens convergent vers un thème central : la réalisation de l'homme intégral. L'humour en ouvrira la porte, l'automatisme en procurera les matériaux, l'art en sera le langage, la psychanalyse en donnera une de ses interprétations, la métapsychique ou la parapsychologie en donnera une autre, et une révolution – morale – en indiquera des possibilités de réalisation effective.

HISTORIQUE

Du romantisme est issu ce mouvement qui, peu à peu, alla jusqu'à faire mépriser le sens intelligible d'un poème, au profit d'une obscurité révélatrice d'un autre univers et dont le Surréalisme est une des manifestations. Dès cette époque, des poètes comme Alfred de Vigny cherchèrent à donner un sens philosophique à leurs œuvres et, selon Baudelaire, Victor Hugo eut le mérite de suggérer le « mystère de la vie ».

À son tour le poète des secrètes correspondances exprima l'unité d'une nature « où les parfums, les couleurs et les sons se répondent ». Pour s'évader des limites du monde il préféra l'ivresse des « paradis artificiels » à l'austérité de la vertu, lui qui eut si nettement conscience de l'ambivalence humaine.

Baudelaire influença profondément Rimbaud qui vécut tragiquement ce conflit d'une âme à la fois éprise d'absolu et prisonnière dans l'enfer d'ici-bas. En proie au vertige de l'infini, il le manifesta par sa vie comme par son œuvre. Selon André Breton, « Rimbaud n'a fait qu'exprimer, avec une vigueur surprenante un trouble que sans doute des milliers de générations n'avaient pas évité... À très rares intervalles avant d'arriver à lui, nous croyons bien surprendre dans la plainte d'un savant, la défense d'un criminel, l'égarement d'un philosophe, la conscience de cette effroyable dualité qui est la plaie merveilleuse sur laquelle il a mis le doigt. » Aux périodes désaxées se détachent ces prophètes modernes que sont les poètes, et Rimbaud fut en ce sens un précurseur des Surréalistes, insurgés contre la condition humaine. Il mena l'existence incohérente d'un être qui refuse de s'accommoder des hypocrisies sociales, tandis que par ses poèmes, il tenta d'arracher les hommes à eux-mêmes, en leur montrant la laideur de la réalité coutumière. Son œuvre entraîne vers un autre monde, celui dont les *Illuminations* apportent des « visions objectives ».

Mais les abîmes du mal sont infinis, et leur exploration donne à l'homme une ivresse de liberté, un sentiment de puissance qui le font se dresser en face de Dieu. Lautréamont, cet autre ancêtre du Surréalisme, a également magnifié cette révolte de l'être capable de nous transporter dans un monde de terreur et de violence, où la fantaisie démoniaque de Maldoror est libre de toute entrave.

**

Ainsi l' « idée que l'activité du poète » est un moyen pour pénétrer jusqu'au mystère d'une « surnature » s'enrichissait, dès la fin du XIXᵉ siècle, d'une mystique jaillie de la révolte rimbaldienne. Aussi, dans les multiples domaines de la pensée, assistons-nous à un renouvellement des conceptions qui mettent en échec le rationalisme. À une représentation statique du monde se substitue celle du mobilisme universel.

L'œuvre entière de Bergson fait ressortir les limites de l'intelligence, qui ne peut s'exercer que sur le domaine de la matière alors que l'intuition permettrait de saisir la source même de l'être. Avant Freud ce philosophe attire l'attention sur le rêve, les phénomènes de télépathie, et sur les diverses manifestations irrationnelles du psychisme.

À la même époque paraissent de nombreux ouvrages littéraires traitant des maladies mentales et de leur influence sur le caractère et la destinée. Un comportement n'est logique qu'en apparence, aussi le romancier complétera-t-il l'analyse du philosophe en démontant les ressorts de ses personnages dont la conduite conventionnelle cache souvent une absurdité fondamentale. Ainsi s'explique à cette époque l'actualité de Dostoïevsky, pour qui cohabitent dans chaque conscience des tendances contradictoires et inconciliables.

Non seulement la psychologie est bouleversée par ces révélations, mais les sciences physiques le sont également par la découverte du monde de la discontinuité où règne l'indéterminisme. Aussi la littérature aura-t-elle pour tâche de découvrir l'unité de l'individu derrière la multiplicité de ses aspects. De même en peinture, des mouvements comme le cubisme qui opèrent une véritable dislocation de la réalité s'efforcent par-delà les apparences d'atteindre l'essence des êtres et des choses.

Guillaume Apollinaire devait, lui, avant tout viser la recherche de l'imprévu, caractéristique de ses poèmes. Ainsi dans *Zone* se mêlent sans cesse des images disparates telles qu'elles se succèdent dans la vie sous-jacente à la conscience. C'est aussi lui qui pensait avec raison que des clichés comme « lèvres de corail », dont la fortune peut passer pour un critérium de valeur, étaient le produit de cette activité qu'il avait qualifiée de *surréaliste* à la première représentation des *Mamelles de Tirésias* en 1917.

∗
∗

Mais poussant encore plus avant cette tendance à la désorientation, certains êtres allèrent jusqu'à traduire dans leur existence même « ce vœu d'imprévu qui signale le goût moderne ».

Déjà Alfred Jarry avait incarné son personnage d'Ubu, et sa vie ne fut qu'une provocation constante à toutes les conventions bourgeoises.

N'est-ce pas aussi la même révolte qui se manifesta dans la courte existence de Jacques Vaché ?

André Breton l'avait rencontré en 1916, à l'hôpital militaire de Nantes où il avait été affecté comme étudiant en médecine alors que Jacques Vaché y était soigné pour une blessure.

Après l'armistice, Jacques Vaché qui fut, selon André Breton, le « maître dans l'art d'attacher très peu d'importance à toutes choses » devait disparaître de façon assez mystérieuse, ayant absorbé une trop forte dose d'opium. Dada avant la lettre, il eut le mérite de ne rien écrire car « toujours il repoussa du pied l'œuvre d'art, ce boulet qui retient l'âme après la mort ». Son influence sur André Breton fut décisive, car « sans lui, avoue-t-il, j'aurais peut-être été poète, il a déjoué en moi ce complot de forces obscures qui mène à se croire quelque chose d'aussi absurde qu'une vocation ».

L'humour, en tant que destructeur de la société, se manifeste d'une façon encore plus audacieuse dans la vie d'Arthur Cravan. Boxeur de profession, déserteur de nombreuses nations, il souleva le scandale partout sur son passage. De 1912 à 1915, il fit paraître une revue intitulée *Maintenant* dont il vendait les exemplaires dans une voiture de marchand de quatre-saisons qu'il poussait lui-même, pour tourner en dérision les librairies traditionnelles et désuètes. Avec violence, il y critique les peintres auxquels il préfère les champions sportifs qui, eux du moins, expriment les instincts primitifs de l'individu dans toute leur vitalité.

La recherche d'une nouvelle conception de l'art suscita la création de revues comme *Sic* qui paraît en 1916, dirigée par Pierre-Albert Birot. On y retrouve les tendances du futurisme à louer le machinisme et à chanter les rythmes trépidants des villes. L'année suivante, Pierre Reverdy, qui est de tous les poètes vivants l'un de ceux qui semble pour André Breton, « avoir pris sur lui-même au plus haut point ce recul qui manque tellement à Apollinaire » fonde *Nord-Sud*. Il a cependant le tort de se réfugier dans une « attitude purement statique et contemplative qui ne se suffit pas à elle-même ». À sa revue collaborent Apollinaire, Max Jacob, Louis Aragon.

Mais ce fut surtout dans *Littérature,* titre ironique d'une publication anti-littéraire au possible, que fut posée la question de la destinée, inhérente à toutes ces recherches vers un nouveau réel. Dès les premiers numéros, ses directeurs, André Breton, Philippe Soupault, Louis Aragon ouvrent une enquête intitulée : *Pourquoi écrivez-vous ?,* qui montre nettement combien leur paraît vain le souci de l'opinion, alors que des problèmes aussi graves que le sens de l'existence humaine sont à résoudre. Écrire, c'est encore une concession, une action intéressée, donc à quoi bon écrire ?

Ce même mépris de l'art, ce même nihilisme intellectuel d'êtres jeunes, hantés par la recherche de l'absolu se retrouvent en Amérique, où Marcel Duchamp, qui vivait aux États-Unis, avait exposé dès 1913 des objets tout faits *(ready made)* comme une roue de bicyclette sur un tabouret, un porte-bouteilles... et cela par provocation. Francis Picabia, qui devait le faire connaître en France, manifeste de même un merveilleux détachement de toutes choses. Aussi, à son arrivée à Zurich, il adhéra immédiatement au mouvement Dada qui eut pour précurseurs des poètes roumains dont Urmuz, J. Costine, M. Janco et Tristan Tzara qui arriva à Paris en 1919. Il devait y rallier tous ceux qui cherchaient à briser la routine : Philippe Soupault, puis le groupe de *Littérature,* ainsi que Pierre Reverdy et Jean Cocteau.

Le « Dadaïsme » est l'aboutissement de l'état d'esprit d'êtres désespérés par la destruction des hommes et du monde, et qui ne croient plus à rien de stable, ni de permanent. C'est dans un cabaret à Zurich, en 1916, que Tristan Tzara inventa le mot Dada qui déchaîna l'enthousiasme de son entourage, par l'insignifiance même de ses deux syllabes. Les Dadas ressentirent profondément l'angoisse et le déséquilibre qui suivirent la guerre, et leur mouvement fut la recherche d'une formule pour vivre. Non seulement leurs œuvres, mais leur existence fut Dada, c'est-à-dire une révolte permanente aussi bien contre l'art, que contre la morale et la société. Les Dadas veulent scandaliser l'opinion, la sortir de sa léthargie.

« Ils insisteront sur tout ce qu'il y a de baroque, de déséquilibré, d'imprévu afin de ne pas retomber dans les habitudes devenues naturelles à la suite d'une longue tradition, afin de ne pas laisser le bien, le noble, le haut... reprendre du poil de la bête », nous explique l'un d'entre eux : Georges Ribemont-Dessaignes.

Ce mouvement par nature, échappe aux qualifications esthétiques communes, car ces révoltés sentent trop la vanité des effets d'une routine désuète. Ils se proposent donc avant tout de fouler aux pieds les impératifs traditionnels de quelque ordre qu'ils soient. Aussi, le public qui cherchait à juger leurs manifestations sur un plan artistique, s'indigna-t-il quand à l'une d'elles, Tristan Tzara, au lieu du manifeste annoncé lut un article de journal choisi au hasard, pendant que Paul Éluard et Théodore Fraenkel tapaient sur des cloches. Selon Jacques Rivière, les Dadas « se dévouent à actualiser sans choix, sans destination, sans prédilection d'aucune sorte, toutes les parties de leur esprit. Ils délivrent cette omni-équivalence qui est en puissance au fond de chacun de nous, et qui pratiquement n'est vaincue que par la réflexion et la volonté ». Toute échelle des valeurs est supprimée, toute distinction entre ce qu'il faut faire ou ne pas faire, dire ou ne pas dire, est abolie : il suffit de réaliser « toujours très exactement ce qui vous passe par la tête afin de maintenir l'esprit dans le *ballottage originel* ».

En 1920, Benjamin Péret, Jacques Rigaud se joignirent au mouvement Dada et le 26 mai de cette même année, eut lieu sa dernière manifestation, car Dada de par sa position, ne pouvait aboutir qu'à se détruire lui-même. Mais après avoir délivré l'esprit de ses préjugés, il allait devenir le préliminaire d'un mouvement positif comme le « Surréalisme ».

Les manifestations bruyantes des Dadas, leurs insultes continuelles à la société, leur mépris des conventions marquaient leur volonté de s'affranchir de l'hypocrisie qui tient l'homme en esclavage. Incapable de se résigner à ce sort banal, André Breton s'écrie : « Je me garde d'adapter mon existence aux conditions dérisoires ici-bas de toute existence. » Il s'agit d'échapper dans toute la mesure du possible à ce « type humain dont nous relevons tous », en dépassant l'expérience appuyée sur l' « utilité immédiate » et « gardée par le bon sens ». Dada a détruit la notion traditionnelle de l'homme classique, il devait appartenir aux Surréalistes d'en créer une nouvelle. Ce négativisme devait non seulement contribuer à la destruction d'un ordre périmé, mais aussi à la préparation d'une humanité régénérée.

Et l'année 1921, marqua la fin de Dada, dont l'effigie fut noyée dans la Seine par des élèves de l'école des Quatz'Arts, comme l'avaient été celles du Cubisme et du Futurisme.

Au scandale, à la révolte succéda une recherche méthodique du Surréel. André Breton, entouré de Louis Aragon, Paul Éluard, Philippe Soupault auxquels se joignirent Jacques Baron, Robert Desnos, Max Ernst, Pierre de Massot, Max Morise, Pierre Unik, Roger Vitrac devait être le chef de ce mouvement qui débuta par l'exploration de l'inconscient. *Les champs magnétiques* écrits parallèlement par André Breton et Philippe Soupault, parurent en 1921. Ce fut de nouveau dans la revue *Littérature* que, de 1922 à 1924, s'exprimèrent leurs recherches. À eux se rallièrent Maxime Alexandre, Antonin Artaud, Joseph Delteil, Francis Gérard, André Masson, Pierre Naville et Max Noll.

André Breton expulse bientôt de son groupe ses disciples qui se sont laissés tenter par la gloire littéraire ou par la politique, car l'activité surréaliste est par essence désintéressée. Défenseur de sa pureté, il élimine donc « ceux qui, à quelque égard, plus ou moins manifeste, ont démérité de la liberté ». Ainsi se sépare-t-il d'abord de Jean Cocteau, Jean Paulhan, Raymond Radiguet, Jules Romains, André Salmon et Paul Valéry, à cause du gros tirage de leurs œuvres. Chirico, puis en 1936, Salvador Dali, coupables de s'être convertis au fascisme, et Joseph Delteil à cause de sa conversion au catholicisme, sont exclus à leur tour. Dix-huit ans plus tard Max Ernst sera considéré comme s'étant « mis lui-même hors du surréalisme » en recevant le « Grand Prix de peinture à la Biennale de Venise ».

En 1924, André Breton publie le *Premier Manifeste du surréalisme,* en même temps qu'est fondé le « Bureau de recherches surréalistes », 15, rue de Grenelle, et que paraît le 1er décembre, le premier numéro de la *Révolution surréaliste* dirigée par Pierre Naville et Benjamin Péret. Cette revue, publiée jusqu'en 1929, est d'allure expérimentale. On y trouve des récits de rêves, des textes automatiques, des réponses à des enquêtes sur le suicide, sur l'amour, ainsi que des attaques contre Anatole France, Paul Claudel où se manifestent nettement ses tendances révolutionnaires.

Au moment de la guerre du Maroc, les Surréalistes prennent le parti des communistes, d'où les scandales qu'ils soulevèrent. Mais c'est particulièrement de Trotsky que s'enthousiasme André Breton et d'un communisme qu'il jugeait probablement assez humaniste à l'époque. Toutefois, ses sympathies politiques ne l'entraînèrent jamais à une adhésion totale : le véritable artiste a trop besoin de son indépendance. Aussi, à la fin de 1925, à la suite d'une vive polémique, dut-il rompre avec Pierre Naville qui prétendait que la vie de l'esprit dépend entièrement et uniquement de ses conditions sociales, et qui se retire alors, pour se consacrer à la direction de *Clarté,* revue d'obédience communiste.

En 1929, paraît le *Second Manifeste du surréalisme* où André Breton précise sa position politique. Il y frappa d'interdit plusieurs autres de ses disciples, tel Antonin Artaud qui par ostentation, pense-t-il, a voulu faire représenter devant l'ambassade de Suède, *Le Songe,* de Strindberg. Il se sépara aussi de fondateurs du mouvement comme Philippe Soupault, à cause de son orientation devenue trop littéraire, de Robert Desnos qui, absorbé par l'écriture automatique, se désintéresse des problèmes concrets. À cette époque, ce sont Louis Aragon, Paul Éluard et Pierre Unik qui sont avec lui les purs représentants du Surréalisme.

Une revue comme *Le Grand Jeu,* fondée par René Daumal, Roger Gilbert-Lecomte, Roger Vailland et Rolland de Renéville qui dans la voie ouverte par Rimbaud poursuivent une recherche initiatique et mystique, ne pouvait que demeurer indépendante de celle du groupe surréaliste.

Pour André Breton il ne s'agit pas de la recherche d'une « métaphysique expérimentale » mais de faire œuvre positive en ce monde. Son objectif est d'agir pratiquement sur les faits, tout en poursuivant ses investigations sur l'activité intérieure de l'esprit, comme le témoigne la publication en 1930 de *L'Immaculée Conception* écrite en collaboration avec Paul Éluard.

Mais tous les ex-membres du Surréalisme, l'enterrent prématurément dans un pamphlet intitulé *Un cadavre,* alors qu'à ce moment André Breton est entouré d'une nouvelle cohorte de poètes comme Luis Buñuel, René Char, Georges Hugnet ; et de peintres comme Salvador Dali, Yves Tanguy. Déjà, en 1928, il avait analysé le talent de plusieurs d'entre eux dans son livre *Le surréalisme et la peinture.*

André Breton cependant poursuit son action révolutionnaire et sa revue prend le titre du *Surréalisme au service de la Révolution* dont le dernier numéro paraît en 1933. Parallèlement aux appels à la révolte, y sont publiés des exposés de Salvador Dali sur la méthode d'exploration de l'inconscient qu'il a découverte. Mais un nouveau conflit devait se produire : Louis Aragon revient du Congrès de Kharkov en 1930, complètement converti au communisme soviétique, aussi se sépara-t-il avec éclat d'André Breton. Ce sont leurs divergences politiques qui obligèrent ensuite le chef du Surréalisme à exclure à la fin de 1938 : Paul Éluard et Georges Hugnet.

En 1935, dans *Position politique du surréalisme,* il défend l'indépendance de l'artiste par rapport à la société. Les Surréalistes collaborent alors à une revue d'art, *Minotaure.* On y trouve des sujets d'enquêtes, des textes automatiques de Gisèle Prassinos, fillette de quatorze ans, et surtout des reproductions de nombreux tableaux surréalistes de Salvador Dali, de Max Ernst, d'Yves Tanguy, ainsi que de Hans Arp, d'Alberto Giacometti, de René Magritte, de Man Ray et de Joan Miro.

Le mouvement ne fait que s'étendre et se répand à l'étranger.

En 1934, le poète tchèque Vitezslav Nezval fonde un groupe surréaliste auquel appartiennent les peintres Styrski et Toyen qui, ultérieurement, s'installeront à Paris. En 1935, André Breton et Paul Éluard vont à Prague faire des conférences.

En 1936, s'ouvre une exposition à Londres. André Breton fait des conférences en Europe centrale, en Suisse, aux Canaries.

L'année suivante furent exposées à Tokyo les œuvres de peintres surréalistes de divers pays.

À Paris, au début de 1938, une très importante « Exposition internationale du Surréalisme » fut organisée par André Breton avec Paul Éluard et la collaboration de Marcel Duchamp et de Georges Hugnet.

La même année, au Mexique, André Breton rencontre Léon Trotsky, ce qui resserre encore leur parenté d'esprit. De retour en France, dans un article paru dans *Le Minotaure,* il s'élève à nouveau contre le « nationalisme dans l'art ».

Et ce fut la guerre. En 1939, André Breton fut mobilisé et affecté dans la DCA comme médecin auxiliaire aux forts de Nogent et de Sucy-en-Brie puis à Noisy près de Romainville.

En 1940, André Breton est affecté dans une école de

pilotage à Poitiers, de janvier à juillet. Démobilisé à la fin du mois d'août il alla dans la région de Marseille où il retrouva plusieurs membres du groupe surréaliste. C'est en 1941 qu'il s'embarque avec Victor Serge, Wifredo Lam... pour les États-Unis où ils poursuivent leurs activités en toute indépendance avec les surréalistes qui les y rejoignent. André Breton publie à New York en 1942 : *Les Prolégomènes à un troisième Manifeste du surréalisme ou non,* puis une partie d'*Arcane 17.*

Revenu à Paris, en mai 1946, il a confirmé au cours d'une interview l'intransigeance de sa position, car plus que jamais, à une époque désaxée par la recrudescence des appétits matériels, la poursuite du surréel s'impose.

À l'ère de la bombe atomique, l'homme se doit de réagir contre les idées toutes faites et d'utiliser ses possibilités à l'avènement d'un *nouvel âge humain.* L'enlisement est déjà si grand qu'il s'établit même un conformisme surréaliste. « Trop de tableaux en particulier se parent aujourd'hui dans le monde de ce qui n'a rien coûté aux innombrables suiveurs de Chirico, de Picasso, d'Ernst, de Miro, de Tanguy, etc. » André Breton se plaît donc à rappeler qu' « il n'est pas de grande expédition, en art qui ne s'entreprenne *au péril de la vie...,* et que chaque artiste doit reprendre seul la poursuite de la Toison d'or ».

En Amérique, comme en France, « la plus grande partie de la production poétique » manque de ce ressort essentiel qu'est la « surprise ». Aussi ajoute-t-il : « L'accent doit être mis sur le pouvoir de dépassement, fonction du *mouvement* et de la *liberté.* Reverdy, Picabia, Péret, Artaud, Arp, Michaux, Prévert, Char, Césaire, demeurent à cet égard autant de *modèles inimitables.* »

Des œuvres individuelles relèvent – elles aussi – de l'esprit surréaliste. Pour celle intitulée *Le rivage des Syrtes,* Julien Gracq n'alla-t-il pas en 1952 jusqu'à refuser le prix Goncourt ?

Et en 1947, André Breton ayant reçu de Malcolm de Chazal l'ouvrage intitulé *Sens plastique,* il le considéra immédiatement comme surréaliste. Il préparait alors, avec Marcel Duchamp et Sarane Alexandrian, une importante Exposition internationale du Surréalisme qui, à Paris, décontenança beaucoup de visiteurs en leur évoquant un cycle d'épreuves inspirées de la magie primitive.

Le mouvement semble alors s'orienter vers une connaissance occulte de l'univers. La « Communication surréaliste » dont la nouvelle série, parue de novembre 1953 à janvier 1955, s'intitule *Médium,* et en 1957, est publié un livre d'André Breton : *L'art magique.* Il s'agit toujours de promouvoir la « quête d'une plus grande libération de l'esprit » et c'est elle, selon le titre d'une revue que dirigea André Breton dès 1956, qui est *Le surréalisme même.* Ensuite parurent *Bief* puis *La Brèche* à partir de 1961. Les revues se succèdent car elles répondent « aux sollicitations diverses et changeantes » d'un « public indéfini ». André Breton est alors entouré de Robert Benayoum, Gérard Legrand, José Pierre, Jean Schuster. « Au seuil de l'année 1960 », il organise à Paris, avec Marcel Duchamp, une Exposition internationale du Surréalisme dont le thème fut l'érotisme « seul art qui soit à la mesure de l'homme de l'espace, le seul capable de le conduire plus loin que les étoiles ». André Breton ne pouvait donc que désavouer une exposition comme celle réalisée à Paris en 1964 et qui situait le Surréalisme par rapport à « ses sources » et à « ses affinités ». Il y répondit l'année suivante par une manifestation de « combat » qu'il intitula « L'écart absolu ». Le « générique » de cette XIe Exposition internationale contient le dernier message d'André Breton dont la mort survint le 28 septembre 1966. Il rappelle que le Surréalisme continue à s'opposer à une mécanisation de plus en plus asservissante pour l'homme, que seule la « tension » importe car il faut « attirer l'esprit vers une direction à laquelle il n'est pas habitué et le réveiller ».

Depuis avril 1967 la revue *L'Archibras* dirigée par Jean Schuster poursuit cet effort contre tout ce qui

« tension » chez Ar. ?

semble acquis, immuable, sur le plan du langage comme sur celui des « catégories de la réalité » et témoigne d'une « volonté d'ouverture ».

José Pierre organise au musée d'Art moderne (section de l'ARC : Animation-recherche-confrontation) une exposition intitulée « La fureur poétique », c'est-à-dire l'élan créateur qui peut s'emparer de certains psychopathes ou aussi surgir dans la vie quotidienne d'êtres ayant une activité professionnelle régulière. José Pierre dédia cette exposition de leurs œuvres « – qui sans cela n'aurait point de sens... – à la personne spirituelle d'André Breton ».

Cependant il ne reste plus guère de représentants du mouvement surréaliste d'entre les deux guerres ; Louis Aragon étant décédé en 1982, alors qu'en 1983 disparurent Luis Buñuel et Joan Miro, en 1985 Diego Giacometti, et en 1987 André Masson. En 1989, peu après l'exposition qui lui était consacrée, devait mourir Philippe Soupault, le « voyageur magnétique ». L'année suivante ce sont René Char et Michel Leiris qui décédèrent.

Depuis 1984 Salvador Dali s'était retiré à Figueras où son existence se termina en 1989.

Néanmoins, le surréalisme prend une place de plus en plus grande dans le mouvement de la pensée. Des thèses sont soutenues à l'université de la Sorbonne nouvelle où un « Centre de recherches sur le Surréalisme », dont le directeur est le Pr Henri Béhar, a été créé.

Ce centre a organisé, en juin 1981, un colloque international sur « Le livre surréaliste », précédé d'une exposition. Dans sa revue *Mélusine* sont publiés des articles sur différents thèmes.

Le 9 mai 1979 Salvador Dali a été reçu à l'Académie des beaux-arts, et à la fin de cette même année une importante rétrospective de toute son œuvre a eu lieu au Centre Georges-Pompidou et s'est prolongée en 1980. En 1979 il y a eu également une rétrospective des tableaux, des écrits du surréaliste belge René Magritte, décédé en 1967.

On peut encore noter d'autres expositions, ainsi indiquons celle du « Musée imaginaire » de Roger Caillois en 1981 ; en 1982 celles des photographies de Man Ray, des tableaux d'Yves Tanguy, des poèmes de Paul Éluard. Les œuvres de surréalistes tchèques comme Toyen, Styrsky..., celles des peintres surréalistes anglais pendant la période de 1930 à 1960 ont été exposées à Paris ; tandis qu'à Tokyo c'est la revue *Le Minotaure* qui, cinquante ans environ après sa parution, se trouve être le thème d'une présentation de l'activité des Surréalistes pendant cette période d'un passé extrêmement créatif.

De 1983 à 1985 les expositions de peintres surréalistes continuèrent à se succéder, mais c'est en 1986 qu'elles furent encore plus importantes.

– À Paris, à la galerie de l'Artcurial, les étapes de l' « aventure surréaliste autour d'André Breton » furent reconstituées par José Pierre.

– À Marseille, la direction des musées parvint à réunir les œuvres des surréalistes, même celles dispersées sur la « planète affolée », au cours des années 1938 à 1947.

En 1988 le peintre belge Paul Delvaux agrandit la surface de sa Fondation pour y exposer un plus grand nombre de ses toiles.

D'importantes rétrospectives des œuvres de Magritte, de Miro et d'André Masson eurent lieu respectivement en 1987 à Lausanne, et en 1990 à Saint-Paul-de-Vence et à Paris.

Enfin, les postes, elles aussi, s'intéressèrent aux surréalistes puisqu'elles émirent un timbre représentant : *La danseuse* par Arp, et qu'en 1991 elles firent paraître les effigies de : Louis Aragon, André Breton, René Char et Paul Éluard, dessinées par Henri Matisse, Man Ray, Valentine Hugo et Pablo Picasso. En 1998 furent émis des timbres en souvenir de Marcel Duchamp et de René Magritte.

L'année 1991, cependant, sera celle de la consécration d'André Breton, de la « beauté convulsive », car une importante exposition au Centre Pompidou refléta la multiplicité de ses facettes. L'exposition qui lui succéda, et qui fut ensuite transférée en Angleterre et en Allemagne, célébra le centenaire de la naissance de Max Ernst.

En 1992, furent réunies des peintures de l'artiste tchèque Sima (né en 1891) au musée d'Art moderne de la ville de Paris puis exposées à la Galerie nationale de Prague. Ayant vécu en France à partir de 1921, Sima y avait découvert le mouvement Dada, les débuts du Surréalisme. Néanmoins en 1927 il adhère au groupe du *Grand Jeu,* aussi cette exposition se complète-t-elle par des documents de leur revue à laquelle il collabora.

En 1993, c'est une importante rétrospective des œuvres de Miro qui a pu être admirée dans sa fondation à Barcelone et là encore pour le centenaire de sa naissance. À New York également cet anniversaire fut célébré au « Museum of Modern Art ».

Mais c'est l' « aube du Surréalisme » qui fut évoquée par l'œuvre de Max Ernst de 1912 à 1927 (coll. « Menil »), présentée successivement dans des musées de New York, de Houston et de Chicago.

En Europe, des expositions, des tableaux des peintres : Pierre Delvaux, René Magritte eurent lieu en Belgique. En Italie, une importante rétrospective des graphismes, des *ready made...* des peintures de Marcel Duchamp devait particulièrement intéresser les visiteurs du Palais vénitien où ils furent exposés.

Au Japon, c'est André Breton qui suscite un renouveau de l'intérêt pour le Surréalisme. À Tokyo a paru en octobre 1994 un numéro spécial d'une revue : *Cahier de la poésie contemporaine* consacré à André Breton. Il comprend dix-huit essais de différents auteurs dont l'un intitulé *Breton pour moi* a été rédigé par un professeur d'université de Tokyo : Sankichi Inada. Le mois précédent avait paru sa traduction en japonais des *Entretiens* de Breton.

En France, une exposition du musée des Beaux-Arts

de Nantes se prolongera jusqu'en avril 1995. Elle rappelle que c'est dans cette ville que se produisit la rencontre fulgurante d'André Breton avec Jacques Vaché.

En juin 1995, ce furent des sculptures de Salvador Dali qui furent exposées place Vendôme, à Paris. Un éclairage permettait de les admirer pendant la nuit. Réalisées entre 1980 et 1988 elles représentaient certains de ses tableaux exécutés une cinquantaine d'années auparavant.

La collection de toutes les sculptures de Dali constitue un « Univers fantasmagorique » qui est exposé à l' « Espace Montmartre-Dali ».

Depuis plusieurs années non seulement des expositions, des rééditions se succèdent dans divers pays du monde mais aussi des films, des disques, des émissions de radio, de télévision font revivre les Surréalistes eux-mêmes : Louis Aragon, André Breton, Philippe Soupault et bien d'autres...

Ainsi, en 1996, sera célébré le centenaire de la naissance de l'inspirateur de toute cette aventure : André Breton.

L'année suivante ce seront les centenaires de la naissance de Paul Delvaux et de Philippe Soupault qui seront célébrés. Au musée des Beaux-Arts de Bruxelles seront exposées les toiles de Paul Delvaux. À Paris, à la galerie Colbert de la Bibliothèque nationale de France des œuvres poétiques de Philippe Soupault seront réunies sous le titre de : « L'inconnu, l'amour, la poésie ».

En 1998 c'est une importante exposition des photographies, en noir et blanc, de Man Ray qui a été organisée au Grand Palais d'après les archives du Centre Pompidou. Non seulement des photographies réalisées pour la mode, pour des portraits... y étaient présentées, mais aussi, celles résultant des techniques dont il fut le créateur : solarisations, rayogrammes... Il transforma ainsi la reproduction des images en les éloignant du réel.

Enfin, en 1999, des rétrospectives se poursuivent tant en France qu'à l'étranger.

À Paris, des toiles de Georges Malkine, le « vagabond du surréalisme », sont exposées au Pavillon des Arts. Certaines oscillent entre le rêve et la réalité tandis que d'autres présentent des portraits de Rimbaud, de Robert Desnos...

En Suisse, à Lausanne, à la Fondation de l'Hermitage, des tableaux de Victor Brauner, dont certains proviennent de collections privées, sont réunis.

Ce sont aussi des œuvres à découvrir qui constituent l'Exposition sur le Surréalisme à la galerie Guggenheim à New York. Elles appartiennent à la collection Filipacchi qui eut pour amis des poètes, des peintres de ce mouvement qui le passionnait. On peut alors voir des tableaux, des livres... jusqu'alors inconnus.

Depuis l'année 2000, dans le Centre Pompidou rénové, on peut regarder le mur authentique de l'atelier qu'André Breton habita rue Fontaine à Paris. Il est couvert d'objets provenant surtout de civilisations disparues : masques, statuettes... Ils s'intercalent entre des tableaux de Kandinsky, Picabia, Picasso... Ces contrastes soulignent une recherche incessante d'aspects du réel éloignés par le temps et par l'espace.

Sur ce plan de l'histoire, l'exposition : « Les artistes et l'exil », organisée par la « Mona Bismarck Foundation » du 14 avril au 5 juin 2000, est particulièrement importante. Elle a permis de découvrir qu'un Américain, Varian Fry, avait été envoyé à Marseille en 1940 par un centre américain de secours. Il devait aider les intellectuels, réfugiés en cette ville, à s'embarquer pour les États-Unis. Jusqu'en septembre 1941 Varian Fry, avec un courage extraordinaire, peut obtenir le départ d'un nombre beaucoup plus élevé d'intellectuels que celui de 200 qui avait été prévu aux États-Unis. Grâce à lui : André Breton, Marc Chagall, André Masson et leurs familles ainsi que Marcel Duchamp, Max Ernst, Wifredo Lam, Roberto Matta, etc., purent quitter Marseille.

« En sauvant des hommes, Varian Fry bâtissait l'histoire de notre monde contemporain. Un monde où André Breton allait écrire l'histoire du surréalisme... », selon Dina Vierny, auteur d'un des textes du catalogue. Elle considère, en outre, que « le surréalisme va profondément marquer la peinture américaine et exercer une influence décisive sur son destin ».

L'année suivante, en juin 2001, en Belgique, le directeur du casino de Knokke, Roger Nellens, organisa une exposition qu'il dédia « à la mémoire de René Magritte » mais aussi à celle de son père, Gustave Nellens, qui avait reçu de nombreux artistes dans ce casino, notamment Magritte en 1945. En 1952 il lui avait proposé de décorer la salle dite « du lustre ».

Magritte réalisa une fresque intitulée « Le domaine enchanté ». Il la termina en 1953. Elle comporte huit tableaux « qui avaient été peints en fonction de la décoration d'une salle ronde avec la mer comme ligne d'horizon... ». Dans d'autres salles du casino Roger Nellens avait exposé plus de 60 tableaux exécutés par Magritte de 1923 à 1967 et provenant de collections privées.

À Londres l'exposition de la Tate Modern qui terminera l'année 2001 s'intitule « Desire Unbound ». Des tableaux, des photographies, des films évoquent le domaine de l'imaginaire, celui des phantasmes suscités par la libération des désirs. Une telle exposition est loin d'être anachronique !

Elle l'est d'autant moins qu'à Paris, au Centre Pompidou, une très importante exposition, intitulée « La Révolution surréaliste » attira des milliers de visiteurs du 6 mars au 24 juin 2002.

Cette exposition fut organisée par Werner Spies qui en était le commissaire. Il répartit sur 2 200 m² divisés en 7 sections des centaines d'œuvres réalisées par les surréalistes de 1920 à 1940 : tableaux, dessins collectifs, photographies, sculptures, objets, films, etc.

Cette exposition est surprenante car elle actualise des réalisations de recherches d'un groupe de jeunes gens qui, au début du xxᵉ siècle, voulaient, par différentes techniques, libérer la conscience de ses limites conventionnelles.

Il ne faut donc pas regarder du seul point de vue esthétique tous ces témoignages, souvent déconcertants, d'une quête du surréel.

Il devrait en être de même pour les visiteurs de la rétrospective des œuvres de Francis Picabia qui a lieu au musée d'Art moderne de la ville de Paris du 16 novembre 2002 au 16 mars 2003. Elle retrace les méandres de son existence tumultueuse, indépendante par rapport à tout repère de l'esthétique.

Négateur de l'art, il fut, avec Marcel Duchamp, un précurseur de Dada, ensuite il collabora avec André Breton et le groupe surréaliste à *Littérature*, puis s'en détacha, illustra *Le Peseur d'âmes* d'André Malraux en 1935, continua ses recherches provocatrices jusqu'à son décès en 1953.

Il demeure un peintre d'avant-garde notamment par ses tableaux dans lesquels se superposent : personnages, objets... dans une transparence qui devient poétique.

Ainsi, ce courant surréaliste qu'on a trop souvent tendance à considérer comme appartenant tout entier à l'histoire conserve son dynamisme. En face, dès son début, de la philosophie marxiste, puis de l'existentialisme, il lui reste sans doute à préciser et à défendre ses positions. Mais sa fécondité, quoi qu'il en soit, ne saurait plus être mise en doute, car il s'est aventuré jusqu'à ces domaines étranges dont on commence seulement d'apercevoir que, sous des aspects poétiques, ils peuvent transformer la connaissance de l'homme et de l'univers.

Chapitre I

TECHNIQUES SURRÉALISTES

I. – L'humour

Les mesquineries, les absurdités du monde où se déroule l'existence ne peuvent que le rendre ridicule ou comique aux yeux de celui qui aspire à l'Infini. Avant de tracer une voie nouvelle, il faut démolir, et le rire est encore la meilleure arme pour secouer le joug de l'hypocrisie. N'est-ce pas un privilège que de pouvoir se libérer par un ricanement parfois sardonique des entraves et des contraintes sociales ?

L'humoriste se détache de la vie pour la considérer en spectateur. Devant lui, s'agitent des marionnettes dont il suffit de voir les ficelles pour s'apercevoir que leur comportement n'a qu'une gravité surfaite ou illusoire. La vie réelle perd de son aspect sérieux et devient un sujet de railleries pour qui sait la regarder avec indifférence. L'humour implique donc un désintérêt de la réalité extérieure ; il est le point de vue de l'homme qui regarde l'agitation du monde de son balcon.

Mais, souligner les ridicules, bafouer toutes les conventions aboutit inévitablement à la révolte contre l'ordre établi. Depuis Freud, l'humour apparaît clairement comme une métamorphose de l'esprit d'insoumission, un refus de se plier aux préjugés sociaux : il est le masque du désespoir.

Il n'est pas seulement la marque d'un esprit qui ne se laisse pas submerger par les événements, mais il a son côté grandiose, car il exprime la volonté du moi de se libérer de la réalité, au point de devenir insensible à ses atteintes. Les heurts du monde extérieur, peuvent même lui devenir occasions de plaisir. Freud, rapporte André Breton, en donne pour exemple ce condamné que l'on mène à la potence un lundi et qui s'écrie : « Voilà une semaine qui commence bien ! » En nous épargnant la « dépense nécessitée par la douleur », l'humour a ainsi un « caractère de "haute valeur" », et « nous le ressentons comme particulièrement apte à nous libérer et à nous exalter ». N'est-ce pas lui que le « Père Ubu » incarne, lorsqu'il laisse exploser l' « ensemble des puissances inconnues, inconscientes, refoulées, dont le moi n'est que l'émanation permise, toute subordonnée à la prudence » ?

C'est pourquoi l'humour, expression d'une révolte, est une *attitude morale* comme l'observe Marco Ristitch dans un article de *La Révolution surréaliste* : « Sentir la vanité lamentable, l'absurde irréalité de tout, c'est sentir sa propre inutilité, c'est être inutile. Alors, il faut ou bien s'anéantir, ou bien se transformer, se dépasser par une négation substantielle, Vaché s'est tué, Dada est devenu le Surréalisme... Le Surréalisme va droit à la zone interdite. »

L'humour nous permet donc d'envisager le monde sous un autre angle en brisant les relations familières des objets. Il « est dans son essence, une critique intuitive et implicite du mécanisme mental conventionnel, une force qui extrait un fait ou un ensemble de faits de ce qui est donné comme leur normale, pour les précipiter dans un jeu vertigineux de relations inattendues et surréelles. Par un mélange de réel et de fantastique, hors de toutes les limites du réalisme quotidien et de la logique rationnelle, l'humour, et l'humour seul, donne à ce qui l'entoure une nouveauté grotesque, un caractère hallucinatoire d'inexistence... et une importance dérisoire, à côté d'un *sur-sens* exceptionnel et éphémère, mais total... ». Il bouleverse nos habitudes par le dépaysement, par la surprise, par des rapprochements inattendus, il libère l'esprit et lui fait prendre son essor.

Le rationalisme, lui, est rebelle à cette forme d'activité mentale destructive de la loi, de la classification, et de l'ordre établi, que les *Chants de Maldoror* ont le mieux exprimé.

La poésie qui peut représenter *les situations successives de la vie* se prêtait mieux à l'humour que la peinture. Cependant quand celle-ci fut conçue comme un moyen d'expression du dynamisme intérieur, naquirent des œuvres humoristiques comme celles de Max Ernst, dont à cet égard, toujours selon André Breton, « il n'est rien de plus accompli, de plus exemplaire, que ses trois romans en collages : *La femme sans tête, Rêve d'une petite fille qui voulut entrer au Carmel, Une semaine de bonté* ou *Les sept éléments capitaux* ».

Mais c'est le cinéma qui devait être le terrain d'élection de l'humour. Ses ressources permettent à la fantaisie de l'esprit de se donner libre cours comme en témoignent les dessins animés et certains films américains qui suggèrent une nouvelle réalité où, grâce à des rencontres inattendues d'objets hétéroclites, triomphe le burlesque. Antonin Artaud, qui considère l'humour comme un moyen de libération des forces instinctives de l'être humain, tient pour une révélation le premier film des Marx Brothers : *Animal Crackers.* Par le moyen de l'écran, cette bande réalise « une magie particulière que les rapports coutumiers des mots et des images ne révèlent d'habitude pas, et s'il est un état caractérisé, un degré poétique distinct de l'esprit qui se puisse appeler Surréalisme, *Animal Crackers* y participait entièrement ». À l'humour de ce film, et lui donnant sa valeur, s'ajoute la « notion d'un quelque chose d'inquiétant et de tragique, d'une fatalité (ni heureuse, ni malheureuse, mais pénible à formuler) qui se glisserait derrière lui comme la révélation d'une maladie atroce sur un profil d'une absolue beauté ». L'humour n'est donc pas seulement une satire corrosive du réel, mais il lui substitue un univers où tout est nouveau pour l'être qui s'y aventure.

**

L'humour destructeur des aspects ordinaires de l'existence, déroute l'esprit par l'inattendu, en le détachant de ses horizons coutumiers, et ainsi le prépare à entrevoir une autre réalité, la Surréalité. Les Surréalistes ne se contentent pas de faire table rase comme les Dadas, ils veulent aussi faire œuvre positive. Que la raison, la logique s'inclinent devant l'imagination et alors s'ouvrira un domaine riche d'images et de fantaisie ! Ils nous invitent à dépasser ce monde utilitaire, dont l'intérêt matériel est le grand moteur, pour nous faire aborder dans celui du merveilleux et de la féerie. « Le Surréalisme sera fonction de notre volonté de dépaysement complet de tout. » Ainsi, une statue placée dans un fosse revêt une toute autre valeur que sur son socle, de même une main isolée du bras change de signification.

Il s'agit de se détacher des objets, de les considérer non plus par rapport à soi, mais tels qu'ils peuvent être en eux-mêmes. On verra qu'ils sont susceptibles de revêtir des sens multiples, preuve de la fragilité du fondement qu'on leur attribue généralement. Mais de cette phase de dislocation des apparences, qui mènera les Existentialistes jusqu'à l'idée du Néant, les Surréalistes font surgir une nouvelle esthétique. Et Max Ernst nous explique alors pourquoi le beau peut, selon la formule d'Isidore Ducasse, naître « de la rencontre sur une table de dissection d'une machine à coudre et d'un parapluie ». En effet une « réalité toute faite dont la naïve destination a l'air d'avoir été fixée une fois pour toutes (un parapluie) se trouvant en présence d'une autre réalité très distante et non moins absurde (une machine à coudre) en un lieu où toutes deux doivent se sentir dépaysées (sur une table de dissection), échappera par ce fait même à sa naïve destination et à son identité ; elle passera de son faux absolu, par le détour d'un relatif, à un absolu nouveau, vrai et poétique ».

Attribuer aux objets un sens fictif et déconcertant n'est, selon Louis Aragon, nullement un jeu, mais une attitude philosophique. Le philosophe passe en effet aux yeux de la masse pour avoir une vision particulière et inattendue du monde. « La connaissance vulgaire s'établit suivant un rapport constant, s'accompagne d'un jugement qui porte sur l'existence de ces abstractions qu'elle manie : ce jugement c'est la réalité », or l' « idée du réel est étrangère à toute véritable philosophie... Comme elle nie le réel, la connaissance philosophique établit tout d'abord entre ses matériaux un nouveau rapport, l'irréel : et tout d'abord, l'invention par exemple se meut dans l'irréel. Puis elle nie à son tour l'irréel, s'en évade, et cette double négation, loin d'aboutir à l'affirmation du réel, le repousse, le confond avec l'irréel, et dépasse ces deux idées en s'emparant d'un moyen terme où ils sont à la fois niés et affirmés, qui les concilie et les contient : le surréel, qui est l'une des déterminations de la poésie ». Un petit jeu de société, comme celui de placer trois allumettes en portique sur leur boîte, d'allumer la « transverse en son milieu », afin qu'elle s'envole est un acte philosophique de première grandeur. On appelle cela un jeu alors qu'on a donné un « usage surréel » à l'allumette qui nous a fait pénétrer dans un monde nouveau où l'utile n'est pas de mise. Dans de telles inventions « réside dans son état immédiat, l'humour surréaliste, sans mise en scène ».

Il a donc un double aspect, négatif et positif : il faut d'abord détruire la réalité pour qu'en surgisse une nouvelle dont la première n'était que l'écorce superficielle. Par la critique qu'il exerce sur les relations normales et logiques des images, des mots, des objets, l'humour les précipite dans un autre univers allant jusqu'à mettre en cause le principe d'identité, et faisant retourner l'esprit au chaos originel, par des chocs imprévus d'images.

*
* *

André Breton, approfondissant encore le sens philosophique de l'humour, en dégage une conception de la connaissance. Dès l'époque romantique, deux forces ont tendu à se soumettre l'art : « Celle qui entraînait l'intérêt à se fixer sur les accidents du monde extérieur » et celle « qui l'entraînait à se fixer sur les caprices de la personnalité ». Si elles alternent chez Lautréamont, elles aboutissent « chez Jarry au triomphe de l'*humour objectif* qui en est la résolution dialectique... Marcel Duchamp, Raymond Roussel, Jacques Vaché, Jacques Rigaud... allèrent jusqu'à vouloir codifier cette sorte d'humour. Tout le mouvement futuriste, tout le mouvement Dada peuvent le revendiquer comme leur facteur essentiel ».

Mais l'aspect de l'humour qu'André Breton appelle *subjectif* et qui résulte du « besoin de la personnalité d'atteindre son plus haut degré d'indépendance » s'efface de plus en plus devant sa première composante. Sa sollicitation obscure chez Apollinaire, après lui « n'a pas cessé de se faire plus impérieuse, à la faveur de l'appel à l'automatisme, démarche fondamentale du Surréalisme. La pratique de l'automatisme psychique, dans tous les domaines,su a élargi le champ de l'arbitraire immédiat. Or, c'est là le point capital, cet arbitraire, à l'examen, a tendu violemment à se nier comme arbitraire ». En effet, l'irrationnel semble au premier abord résulter de hasards, de coïncidences, et ne fait que désorienter l'esprit ; mais l'analyse de ces rencontres fortuites d'images et d'événements montre que des phénomènes comme ceux de télépathie, de voyance même résultent d'une nécessité qui échappe à l'homme « bien qu'il l'éprouve vitalement comme nécessité ». L'humour objectif actuellement se brise contre les murailles abruptes de cette « région inexplorée..., lieu de manifestations exaltantes pour l'esprit » et qui est celle du *hasard objectif*.

L'humour, non seulement nous a introduits dans l'univers de l'imagination, mais de plus, nous a fait atteindre une conception philosophique du monde selon laquelle une « raison tellement plus large que l'autre », englobait les mondes du rêve et de la réalité. Cette vue d'André Breton s'accorde avec les découvertes de la science moderne qui mettent en échec le principe du déterminisme. Ainsi la mécanique ondulatoire a ruiné les prétentions orgueilleuses du mécanisme classique à la prévision rigoureuse des phénomènes, puisque dans le monde de la microphysique on ne peut connaître à la fois, avec précision, la position et la vitesse d'un corpuscule à un moment donné. Heisenberg a été jusqu'à parler du « principe d'incertitude ».

Mais, la science est allée plus loin, dans une voie qui confirme la théorie chère à André Breton, que toute explication d'un phénomène résulte d'une fusion de facteurs objectifs et subjectifs. On s'aperçut en effet que l'obligation d'éclairer le corpuscule à observer par un faisceau de lumière suscite des actions et des réactions qui modifient sa position et sa vitesse d'une quantité inconnue. N'est-ce pas un phénomène analogue à celui qui se produit dans l'introspection, comme l'a remarqué Louis de Broglie, où l'observation d'un sentiment suffit souvent à en modifier le cours ? La science est donc loin d'être rigoureusement objective, car on ne peut jamais en isoler les réflexes personnels de l'observateur. Aux actions et interactions physiques se mêlent celles issues du psychisme humain, et comme l'a écrit André Breton « à un rationalisme ouvert qui définit la position actuelle des savants (par suite de la conception de la géométrie non euclidienne, puis d'une géométrie généralisée, de la mécanique non newtonienne, de la physique non maxwellienne, etc.) ne pouvait manquer de correspondre un *réa-*

lisme ouvert ou *surréalisme* qui entraîne la ruine de l'édifice cartésien-kantien et bouleverse de fond en comble la sensibilité ».

L'artiste et le savant, par des voies différentes et même opposées, finissent par se rejoindre dans une conception renouvelée et élargie du réel où entre « tout ce qu'il peut contenir d'irrationnel *jusqu'à nouvel ordre* ».

II. – Le merveilleux

Ainsi, par sa critique de la réalité, le Surréalisme se rattache à ce mouvement qui, dans les sciences ébranle les fondements du déterminisme et qui, dans la philosophie, montre l'abstraction de systèmes uniquement logiques.

Quiconque parvient à cette sphère où le grotesque, le mystérieux perd son caractère d'étrangeté découvre comme Paul Éluard que « tout est comparable à tout, tout trouve son écho, sa raison, sa ressemblance, son opposition, son devenir partout. Et ce devenir est infini ». Cette idée de l'universelle correspondance était déjà chère aux romantiques allemands et suggère Claude Estève l'héroïne d'André Breton : *Nadja* « dans une existence antérieure a bien pu être Novalis, ce poète de l'idéalisme magique, pour qui la plus naturelle des attitudes était de voir partout dans le quotidien, dans l'usuel : le merveilleux, et de tenir l'étrange, le surnaturel pour familiers à la portée de la main ».

Dans cet univers fantastique, les événements les plus invraisemblables semblent normaux ; l'esprit critique est aboli, les contraintes disparaissent, c'est ce domaine enchanté qui est proprement celui de la Surréalité. Déjà Isidore Ducasse et Arthur Rimbaud avaient ouvert « à la poésie une voie toute nouvelle, en défiant systématiquement toutes les manières habituelles de réagir au spectacle du monde et d'eux-mêmes, en se jetant à corps perdu dans le merveilleux ».

Comme l'a écrit Louis Aragon, « il y a d'autres rapports que le réel que l'esprit peut saisir, et qui sont aussi premiers, comme le hasard, l'illusion, le fantastique, le rêve. Ces diverses espèces sont réunies et conciliées dans un genre qui est la Surréalité ». Dans un ouvrage comme *Le paysan de Paris,* il révèle ce halo qui entoure les objets les plus quotidiens, et qui fait pénétrer dans l'extraordinaire. Quel aspect équivoque revêtent, par la magie de son style, les boutiques du passage de l'opéra. Dans le trouble de ces lieux, il entrouvre des « serrures qui ferment mal sur l'infini ». L'étrangeté de certains quartiers, est comme leur seconde face ; celle qui semble la plus accessible n'en étant que l'aspect le plus superficiel. Mais la sensibilité au merveilleux est un don fragile et précieux qu'il faut s'efforcer de sauvegarder, puisqu'il « se perd dans chaque homme qui avance dans sa propre vie comme dans un chemin de mieux en mieux pavé, qui avance dans l'habitude du monde avec une aisance croissante, qui se défait progressivement du goût et de la perception de l'insolite ».

Les Surréalistes s'éloignent donc du monde réel, pour pénétrer dans celui des apparitions, des fantômes, car « c'est seulement à l'approche du fantastique, en ce point où la raison humaine perd son contrôle, qu'a toutes les chances de se traduire l'émotion la plus profonde de l'être ». Le merveilleux, en effet, va bien au-delà de la fiction et « engage l'affectivité tout entière ».

Cette atmosphère surréelle des châteaux hantés imprègne les romans noirs du XVIIIe siècle, qui eurent tant de succès en Angleterre. Aussi, séduit par cette intervention constante de la magie et de la sorcellerie dans la vie réelle, Antonin Artaud traduisit-il *Le moine* de Lewis. Ce livre, selon André Breton, montre la passion de l'éternité des héros délivrés de toute contrainte temporelle, et n'exalte que « ce qui de l'esprit aspire à quitter le sol ».

Certains lieux favorisent d'ailleurs l'essor de l'imagination, ce serait, pourrait-on dire du point de vue surréaliste, la « question des châteaux ». C'est après avoir vécu longtemps dans un vieux manoir que Lewis écrivit *Le moine* ; le roman *En rade* de Huysmans se déroule dans un castel abandonné, et dans *Le revolver à cheveux blancs,* André Breton nous décrit un château de rêve. Et ce sera dans le fascinant manoir d'*Argol* que se situera l'inquiétant récit de Julien Gracq.

Partout donc où l'imagination se manifeste librement, sans le frein de l'esprit critique, apparaît la Surréalité. Et pour Pierre-Albert Birot, le « merveilleux de plus en plus libre d'entraves, prend le caractère de surprenante *réalité en soi,* de Surréalisme... Le merveilleux accomplit le miracle de se confondre avec l'ordinaire et le quotidien de la façon la plus naturelle du monde ». Si certains êtres voient tel aspect de l'univers, d'autres, dans des états de rêve, d'exaltation nous en font apercevoir la profondeur, et c'est cette profondeur que le Surréalisme veut atteindre et exprimer. Il faut nous dégager de toutes les illusions qui masquent ce monde surréel. Si seulement, par exemple, s'écrie André Breton « nous étions débarrassés de ces fameux arbres ! Et les maisons, les volcans et les empires... Le secret du Surréalisme tient dans le fait que nous sommes persuadés que quelque chose est caché derrière eux ».

III. – Le rêve

En précurseur du Surréalisme (puisque par le mot de « Supernaturalisme » il désigna un état qui en était si voisin qu'André Breton écrivit qu'il en « posséda à merveille *l'esprit* »), Gérard de Nerval exprime à travers son œuvre entière que le domaine de l'imagination a une aussi grande réalité que celui de la veille. Pour lui, le rêve permet de se pénétrer soi-même et d'accéder ainsi à la connaissance suprême. Mais il ne put en découvrir les enchantements, sans s'être abîmé d'abord jusqu'au fond des enfers.

Cette recherche d'une autre réalité par la mise à jour puis par l'analyse de la spontanéité humaine est celle du Surréalisme, car lui aussi « tend à la récupération totale de notre force psychique par un moyen qui est la descente vertigineuse en nous, l'illumination systématique des lieux cachés et l'obscurcissement progressif des autres lieux ».

Abandonné à lui-même, l'esprit se meut dans un monde de fantasmagories, où êtres et choses prennent un aspect imprévu, et se parent des couleurs du rêve. Il s'oppose, comme l'avait remarqué Bergson à celui de la réalité pratique, où mus par notre intérêt immédiat, nous découpons seulement les faits qui nous sont utiles. Si nous nous en détachons, si nous fermons les yeux, alors nous sommes transportés dans un univers d'images, de souvenirs refoulés qui nous entraîne hors de toute logique et de tout raisonnement. Pour Freud, ce monde est le symbole de désirs inconscients, de tendances inavouées ; et, en le déchiffrant, l'homme arriverait à une conscience intégrale de lui-même. Volontairement, on laisse dans l'ombre cette richesse, pour agir dans la vie, pour réussir, ce qui est une mutilation de notre être. Aussi André Breton, déplore-t-il que dans le sommeil, l' « activité de réparation » ne mérite pas mieux « que cette disgrâce faisant de presque tout homme un dormeur *honteux* ».

Si la vie de rêve s'avère aussi importante, sinon davantage, que celle de la veille, pourquoi ne pas tenir compte des révélations qu'elle peut nous apporter ? « Mon rêve de cette dernière nuit, peut-être poursuit-il celui de la nuit précédente, sera-t-il poursuivi la nuit prochaine avec une rigueur méritoire ? » La mémoire ne nous retraçant que des bribes de rêve, et non sa totalité, la veille ne serait qu'un phénomène d'interférence sous l'empire de cette seconde vie. Pourquoi un être est-il attiré par un autre ? « Ce qu'il aime dans l'œil de cette femme n'est-ce pas *précisément* ce qui le rattache à son rêve, l'enchaîne à des données que par sa faute il a perdues ? » Comme l'a écrit Salvador Dali, dans *La femme visible* : « Le jour, nous cherchons inconsciemment les images perdues des rêves, et c'est pourquoi, quand nous trouvons une image de rêve, nous croyons déjà la connaître et nous disons que seulement la voir nous fait rêver. » Symbole d'un monde refoulé, domaine de la Surréalité, le songe, demande André Breton, ne pourrait-il être appliqué, lui aussi à la résolution des « questions fondamentales de la vie » ?

Dans le rêve tout paraît facile, tout paraît naturel ; « l'angoissante question de la possibilité ne se pose plus ». L'esprit passif devant les aventures les plus extraordinaires ne les juge contradictoires qu'au réveil, au nom de notre logique étroite et bornée. « Or, le moindre rêve est plus parfait que le moindre poème, parce qu'il est par définition parfaitement adéquat au rêveur. » ∅ logique = ∅ croyance ?

Peut-être faudrait-il admettre que ce que nous appelons réel, n'est qu'une infime partie du mystère dans lequel nous sommes plongés, et qu'il ne faut pas volontairement en rejeter un de ses aspects familiers, car le rêve autant que la veille n'en est qu'une de ses expressions. Mais on ne doit pas non plus s'écrier avec Pascal : « Qui sait si cette autre moitié de la vie, où nous pensons veiller n'est pas un sommeil un peu différent du premier, dont nous nous éveillons quand nous pensons dormir ? » Cet argument cher aussi aux sceptiques pour refuser toute réalité au monde dans lequel nous vivons, ne serait valable selon André Breton que « si durant le sommeil on croit veiller, durant la veille on crût dormir », ce qui est plutôt exceptionnel. La comparaison des « représentations du sommeil » avec celles de la veille montre au contraire qu'elles se partagent l'existence, et qu'elles sont toutes aussi réelles. La provocation et même la « greffe » de rêves chez d'autres êtres permettent également de « sonder la nature individuelle entière dans le sens *total* qu'elle peut avoir de son passé, de son présent et de son avenir ».

Rêver est un moyen de connaissance, tout autant que penser, et il faut l'analyser à ce titre. Rêver ne sera plus un luxe de l'esprit, mais une de ses activités les plus révélatrices, et en ce sens le Surréalisme se rapprocherait de la philosophie hindoue. Dans le *Vedanta* en effet, les trois états de la veille, du rêve et du sommeil profond, sont analysés séparément et considérés comme les divers aspects de la *manifestation*. La philosophie occidentale, en négligeant systématiquement les phénomènes qui échappent à la raison, limite d'autant la connaissance de l'homme et de l'univers.

Le Surréalisme a donc eu l'originalité de réhabiliter le rêve, de lui attribuer une importance aussi grande, sinon plus, qu'à la veille, au point de vue psychologique et même métaphysique.

IV. – L'aliénation mentale

Mais « carrefour des enchantements du sommeil, de l'alcool... » le Surréalisme « est aussi le briseur de chaînes ». Les incohérences, les bizarreries des rêves font naturellement songer aux élucubrations des aliénés, dont l'univers offre de riches possibilités de nous mieux connaître. Ces malades qui se sont détournés de la réalité extérieure, « en savent, selon Freud, plus long que nous sur la réalité intérieure, et peuvent nous révéler certaines choses qui, sans eux, seraient restées impénétrables ». Sur sa demande André Breton avait été affecté, vers la fin de la Première Guerre mondiale, au centre neuro-psychiatrique de Saint-Dizier. Il avait pu, alors, y observer toutes sortes de délires.

En outre, en 1922 est publié le livre d'un médecin allemand, le Dr Prinzhorn, sur les « expressions de la folie », *Bildnerei der Geistes kranken,* dont les nombreuses illustrations intéressèrent beaucoup d'artistes. Max Ernst qui avait déjà exposé des œuvres d'aliénés donna l'ouvrage du Dr Prinzhorn à Paul Éluard qui le transmit à André Breton. Ils considérèrent que ces expressions de l'inconscient étaient un aspect de la création artistique et qu'en les reproduisant, une nouvelle technique serait libératrice de données psychiques et de leur dynamisme créateur.

Dans le monde des aliénés, en effet, l'imagination règne en maîtresse ; leur esprit se meut allègrement au milieu des contradictions et des incohérences qui ne paraissent telles qu'à l'homme de la rue. Ils sont désadaptés de l'existence quotidienne, mais leur univers a pour eux la même certitude que le nôtre. L'étude de leurs divagations élargit sensiblement le domaine de la connaissance, et nous éloigne de la réalité pratique et limitée ; ainsi dans *Le vampire,* roman surréaliste sur les hallucinations, on entrevoit comment la vie subjective, développée au maximum, permet d'observer les manifestations de l'inconscient pour ainsi dire en liberté. Grâce à leur amplification, les phénomènes normaux peuvent être examinés comme sous la loupe. Ces êtres que rejette la société à cause de leur désadaptation, vivent dans le monde du rêve et de la fantaisie, et nous entrouvrent des aperçus nouveaux sur ce domaine, où tout est permis.

Parmi les nombreuses maladies mentales, l'une d'elles, la paranoïa, est démonstrative du but poursuivi par le Surréalisme, en nous offrant une synthèse du réel et de l'imaginaire. Le sujet atteint du délire des grandeurs, ou de la folie de la persécution, ne se contente pas de se réfugier dans son domaine intérieur, mais il cristallise tous les phénomènes du monde extérieur autour de son idée délirante. Ses impressions externes ne servent qu'à illustrer ses images hallucinatoires. Bien que vivant dans le même univers qu'une personne normale, bien qu'éprouvant les mêmes sensations et assistant au même déroulement des choses, il réagit d'une façon tout à fait différente car, pour lui, chaque événement ne fait que corroborer les exigences de sa subjectivité. S'il se figure être un prince de sang royal, il constitue des arbres généalogiques pour établir sa parenté avec tel ou tel survivant contemporain de la famille, il interprète les événements internationaux comme autant d'hommages ou d'attaques adressés à sa personne, il croit que ses actions, ses paroles sont la cause de tel ou tel fait politique important. Un tel délire est parfaitement cohérent, et si l'on admet le point de départ, en se mettant à la place du paranoïaque, toute sa conception du monde s'en déduit très logiquement. D'ailleurs, écrit Salvador Dali, « tous les médecins sont d'accord pour reconnaître la vitesse de l'inconcevable subtilité fréquente chez le paranoïaque, lequel se prévalant de motifs et de faits d'une finesse telle qu'ils échappent aux gens normaux, atteint à des conclusions souvent impossibles à contredire... et qui, en tout cas, défient toute analyse ».

Pour le paranoïaque, le monde est un théâtre dont il est le principal acteur. Rien ne s'y déroule d'une façon objective, mais, comme dans l'univers des primitifs, tout y est animé d'intentions occultes qu'il s'agit de découvrir. Cette attitude n'est pas si éloignée de l'homme normal ; et de l'aliéné au savant dont les prétentions à une rigoureuse objectivité ont été dénoncées comme illusoires, en passant par le passionné pour qui le monde revêt les couleurs de son amour ou de sa haine, il y a certainement une hiérarchie à établir et non une opposition tranchée. « C'en serait alors fait des catégories orgueilleuses dans lesquelles on s'amuse à faire entrer les hommes qui ont eu un compte à régler avec la raison humaine, cette même raison qui nous dénie quotidiennement le droit de nous exprimer par les moyens qui nous sont instinctifs. » Aussi, par rapport à ce monde de l'illusion et du paradoxe, les classifications des aliénistes paraissent-elles fort arbitraires.

Le livre intitulé *L'Immaculée Conception,* où André Breton et Paul Éluard réussissent à reconstituer certains délires comme la débilité mentale, la manie aiguë, la paralysie générale, le délire d'interprétation, la démence précoce, prouve la plasticité de l'esprit humain, son pouvoir de se soumettre à volonté les idées démentielles « sans qu'il y aille pour lui d'un trouble durable, sans que cela soit susceptible en rien de compromettre sa faculté d'équilibre ». Un tel exercice a fait d'abord prendre conscience à ses auteurs de « ressources jusqu'alors insoupçonnables », il a été de plus un premier pas vers la « liberté la plus haute » puisqu'il permet de s'affranchir de toutes les contraintes d'un prétendu bon sens. L'étendue de ce domaine ainsi révélé ressort particulièrement du chapitre intitulé : « Les Médiations », où s'oppose aux richesses de l'univers intérieur toute la mesquinerie des habitudes coutumières. « Sur le chemin ricochet obstinément noué aux jambes de celui qui repart aujourd'hui comme il repartira demain ; sur les gisements légers de l'insouciance, mille pas chaque jour épousent les pas de la veille. On est déjà venu, on reviendra sans se faire prier. Chacun est passé par là, en allant de sa joie à sa peine. C'est un petit refuge avec un bec de gaz immense. On met un pied devant l'autre et on est parti. »

On ne peut que souhaiter cet élargissement du domaine du psychisme humain ; et « le profond détachement dont les aliénés témoignent à l'égard de la critique que nous portons sur eux... permet de supposer qu'ils puisent un grand réconfort dans leur imagination, qu'ils goûtent assez leur délire pour supporter qu'il ne soit valable que pour eux. Et de ce fait, les hallucinations, les illusions, ne sont pas une source de jouissances négligeables. La sensualité la mieux ordonnée y trouve sa part ». Aussi Ernest de Gengenbach dans une lettre à André Breton raconte qu'il répondit au médecin qui l'exhortait à renoncer aux dangers de l'écriture automatique : « Je préfère mes démarches spirituelles angoissées et désespérées, aux démarches logiques et raisonnables de l'intelligence. »

Si cependant l'on se laisse griser par ces aventures au-delà des limites de la raison, l'on risque d'être « dévoré par le monstre ». C'est parce qu'ils savent résister à ce que Jung appelle la « tentation d'inflation morbide » que les Surréalistes peuvent se risquer jusqu'à reconstituer certains délires. Gardant le contact avec le monde extérieur, ils arrivent à se livrer à cette « gymnastique mentale » qui leur permet de simuler même la folie tout en étant capables de revenir ensuite à une attitude normale. Or c'est l'humour qui donne conscience du ridicule qu'auraient de véritables identifications, c'est lui qui est le gardien de l'intégrité de l'esprit, aussi est-il inséparable de toutes les manifestations surréalistes.

Ainsi un des objectifs du Surréalisme peut-il être : « La recréation d'un état qui n'ait plus rien à envier à l'aliénation mentale... » Il fallait que le « pensé succombât *enfin* sous le pensable », c'est-à-dire que l'esprit se détache de tout préjugé, de toute convention, pour laisser parler en lui l'automatisme psychique, véhicule de la révélation. André Breton et Paul Éluard ne vont-ils pas jusqu'à prétendre que l' « essai de simulation » de maladies mentales « remplacerait avantageusement la ballade, le sonnet, l'épopée, le poème sans queue ni tête et autres genres caducs » ?

Quoi qu'il en soit, les Surréalistes ont cherché à dégager, pour ainsi dire d'une façon expérimentale, le fonctionnement purement automatique de l'esprit, le jeu désintéressé de la pensée délivrée de tout assujettissement aux nécessités pratiques. Et là, s'exclame Maurice Nadeau, « le surréalisme s'est montré vraiment créateur, génialement inventif. Ne resterait-il du mouvement que les pages de *L'Immaculée-Conception,* que l'homme, alerté, ...ne pourrait désirer autre chose que d'éprouver son pouvoir jusqu'à son terme. »

V. – **Les objets surréalistes**

L'aliénation mentale, en reculant considérablement les bornes de la connaissance humaine contribue à discréditer la réalité. Mais loin de subir passivement les visions de son imagination, le paranoïaque les utilise pour interpréter les objets du monde extérieur en les détournant de leur usage habituel. Attitude semblable à celle de l'humoriste qui, en attribuant un caractère grotesque aux objets, désarticule le réel, et fait bondir l'esprit dans le Surréel, avec cette différence cependant, que l'un s'identifie à sa vision, tandis que l'autre retrouve son comportement normal, après ses incursions dans la zone réservée.

C'est justement le privilège de la paranoïa de montrer par quel processus les images tendent à s'objectiver, à s'unir avec le réel, et c'est elle qui a suggéré à Salvador Dali de douer le « Surréalisme d'un instrument de tout premier ordre, en l'espèce de *la méthode paranoïaque-critique* qui s'est montrée d'emblée capable de s'appliquer indifféremment à la peinture, à la poésie, au cinéma, à la construction d'objets surréalistes typiques, à la mode, à la sculpture, à l'histoire de l'art et même, le cas échéant, à toute espèce d'exégèse ». Selon lui, la méthode qui ne considère que le « rôle exclusivement passif et récepteur du sujet surréaliste doit être remplacée par une méthode active capable de *réaliser matériellement ce monde délirant de l'irrationalité concrète* ». Des images à caractère essentiellement virtuel et chimérique ne peuvent satisfaire « nos désirs et nos principes de vérification », il faut donc en faire valoir de nouvelles « objectivement et sur le plan du réel comme le prouvent les essais de simulation d'Éluard et de Breton », et aussi la construction d'objets surréalistes.

Salvador Dali propose par exemple que « de grandes automobiles, trois fois plus grandes que nature soient reproduites (avec une minutie de détails surpassant celle des moulages les plus exacts) en plâtre ou en onyx, pour être enfermées, enveloppées de linge de femme, dans des sépultures, dont l'emplacement ne sera reconnaissable » que par une mince horloge de paille. Ces véhicules bizarres illustrent sa définition de l'objet surréaliste : « Objet qui se prête à un minimum de fonctionnement mécanique et qui est basé sur les phantasmes et représentations susceptibles d'être provoqués par la réalisation d'actes inconscients. » Ainsi en 1935 il qualifia d' « aphrodisiaque » un téléphone surmonté d'un homard rouge.

C'est un rêve qui inspira à André Breton la fabrication de ces objets, concrétisations de désirs refoulés. Se trouvant à Saint-Malo, au milieu d'un marché, il découvrit un « livre assez curieux. Le dos de ce livre était constitué par un gnome de bois, dont la barbe blanche taillée à l'assyrienne, descendait jusqu'aux pieds. L'épaisseur de la statuette était normale, et n'empêchait cependant en rien de tourner les pages du livre, qui étaient de grosse laine noire ». Il s'empressa de l'acheter, et, à son réveil, fut si déçu de ne pas le trouver qu'il décida de réaliser ces objets qu' « on n'approche qu'en rêve et qui paraissent aussi peu défendables sous le rapport de l'utilité que sous celui de l'agrément et qui contribueront peut-être à ruiner ces trophées concrets si haïssables, à jeter un plus grand discrédit sur ces êtres et ces choses de raison ».

De tels objets, peut-être encore plus que des poèmes et des tableaux, désorientent le public. Ils devaient contribuer à accueillir dans une atmosphère de rêve et de mystère les visiteurs de l'Exposition surréaliste de 1938. Malheureusement, comme le déplore Rolland de Renéville, beaucoup n'ont vu « que de puérils fantoches dans les ravissants mannequins disposés le long du couloir, comme des personnages qui se présentent à l'esprit au commencement du sommeil et dont la mission semble être d'introduire, par degrés, le rêveur au royaume hypnagogique ».

VI. – Le cadavre exquis

Tous les moyens seront bons pour provoquer la rupture avec notre mentalité codifiée, et nous permettre de recenser nos richesses intérieures ; il ne s'agit que de faire le vide en soi pour laisser l'inconscient s'exprimer spontanément. Si chacun, par lui-même, peut essayer de le saisir, il peut aussi utiliser les ressources d'une collectivité pour le capter par un procédé analogue au jeu des « petits papiers ». Plusieurs personnes sont réunies qui se passent successivement un papier, sur lequel chacune écrit un mot ou trace un trait ; on finit par obtenir une suite de phrases invraisemblables ou un dessin défiant toute réalité. « L'exemple devenu classique, qui a donné son nom au jeu tient dans la première phrase obtenue de cette manière : Le cadavre – exquis – boira le vin nouveau. »

Par ce procédé particulièrement apte à produire des images surréalistes pures et fortes, surgissent des phrases comme : « La vapeur ailée séduit l'oiseau fermé à clef... l'huître du Sénégal mangera le pain tricolore », ou des dessins, comme un homme à tête de crabe. Paul Éluard nous parle de « soirs passés à créer avec amour tout un peuple de *cadavres exquis*. C'était à qui trouverait plus de charme, plus d'unité, plus d'audace à cette poésie déterminée collectivement. Plus aucun souci, plus aucun souvenir de la misère, de l'ennui, de l'habitude. Nous jouions avec les images, et il n'y avait pas de perdants... Si l'un de nous posait une question, l'angoisse ou l'assurance ne lui venait que de la réponse obtenue. Il avait écrit sa question sans la montrer, il ne se l'était posée qu'à lui-même, et voici qu'un autre répondait avec sûreté, pour connaître la question ».

Si le jeu a lieu entre deux interlocuteurs on peut avoir un dialogue comme celui-ci :

« S. – Qu'est-ce que la lune ?
« B. – C'est un vitrier merveilleux.

« N. – Qu'est-ce que le printemps ?

« S. – Une lampe alimentée par des vers luisants.

« A. A. – Le Surréalisme a-t-il toujours la même importance dans l'organisation ou la désorganisation de notre vie ?

« A. B. – C'est de la boue dans la composition de laquelle n'entrent guère que des fleurs. »

Le cadavre exquis permet donc à l'homme de se libérer de la morne réalité pour pénétrer dans un monde de communications directes entre les êtres bouleversant les rapports chronologiques habituels. Technique de l'inspiration collective, le jeu peut alors aussi être envisagé selon un aspect parapsychologique comme l'admit A. Breton pour celui de *L'Un dans l'autre* auquel se livrèrent les Surréalistes une vingtaine d'années plus tard.

Ces jeux sont d'autre part une « expression collective » du « principe du plaisir ». Ce thème fut, en effet, celui de l'Exposition de Prague de 1968 qui souligna leur rôle régénérateur dans les sociétés alourdies par l'emprise du « principe de réalité ».

VII. – **L'écriture automatique**

Ces diverses techniques surréalistes ne visent qu'à rejeter l'acquis de la civilisation pour faire apparaître l'homme qu'il est en soi, dans sa nature primitive, afin qu'il puisse récupérer toute sa force psychique, et devenir vraiment libre.

Par le relâchement de toute l'activité de contrôle, dans les états de rêve, de folie, l'inconscient se manifeste spontanément et l'écriture automatique permet de transcrire ses messages. C'est alors qu'André Breton se trouvait dans un état intermédiaire entre le rêve et la veille, qu'il en fit la découverte. Des phrases se formèrent dans son esprit et lui apparurent « comme des éléments poétiques de premier ordre ». Elles apportent une certitude exceptionnelle à l'esprit et les mots en sont comme « prononcés à la cantonade ». Dans le *Premier manifeste du Surréalisme,* il relate qu'il fut frappé d'entendre, un soir, avant de s'endormir une phrase bizarre, nettement articulée, sans rapport avec son activité de la veille, « phrase qui me parut insistante, phrase, oserai-je dire qui *cognait à la vitre.* » Il lui arriva aussi d'avoir une représentation visuelle qui, à son réveil, lui donna une très forte impression de « jamais vu ». Ces diverses expériences personnelles lui suggérèrent de se mettre volontairement dans cet état réceptif, et de noter aussitôt le déroulement spontané de ses impressions. « Tout occupé de Freud », il résolut d'obtenir sur lui, comme sur des malades mentaux, un « monologue de débit aussi rapide que possible, sur lequel l'esprit critique du sujet ne fasse porter aucun jugement, qui ne s'embarrasse, par suite d'aucune réticence, et qui soit aussi exactement que possible la *pensée parlée* ».

Pour se plonger dans cet état, il faut naturellement s'isoler des sollicitations du monde extérieur. Philippe Soupault et André Breton s'exercèrent ainsi à laisser parler leur inconscient et sous sa dictée, tous deux écrivirent : *Les Champs magnétiques* qui ne sont que la « première application de cette découverte : chaque chapitre n'avait d'autre raison de finir que la fin du jour où il était entrepris et, d'un chapitre à l'autre, seul le changement de vitesse ménageait des effets un peu différents ». Ce livre est fertile en comparaisons brillantes, imprévues et humoristiques. Citons-en quelques-unes : « Notre prison est construite en livres aimés, mais nous ne pouvons plus nous évader à cause de toutes ces odeurs passionnées qui nous endorment... Tout le monde peut y passer dans ce couloir sanglant où sont accrochés nos péchés, tableau délicieux, où le gris domine cependant. »

Ces images s'imposent à la pensée d'une façon toute particulière : « À vous qui écrivez, ces éléments, en apparence, vous sont *aussi étrangers qu'à tout autre,* et vous vous en défiez naturellement. » Comme l'observe un adepte du surréalisme : Francis Gérard qui risqua cependant l'expérience, des sensations inconnues envahissent peu à peu l'esprit :

« A) Pris dans la tourmente des sons, il produit ces étonnants jeux de mots propres au surréalisme.

« ... La pensée comme une tempête passe au-dessus des mots.

« B) Dans un autre de ces états... l'esprit se fixe dans une atmosphère dramatique.

« ... C'est une révélation qui se dégage d'elle-même.

« C) L'esprit poursuit un cours haché...

« ... L'état le plus souhaitable serait un blanc de la conscience pendant l'écriture... Le pur mouvement de la pensée ne s'accompagnerait d'aucune sensation étrangère à ce développement.

« De la sorte on aurait une dictée de l'esprit, et dans ses propres éléments, accomplie en complet désintéressement. » Le détachement du monde extérieur est tel, que l'interruption de l'écriture procure la sensation d'un réveil brusque : « Les yeux n'accommodent plus aux objets environnants, les jambes titubent... »

Cette méthode fut d'ailleurs déjà employée au XVIIIe siècle, époque fertile en romans extravagants, où sans cesse réel et fantaisie se mêlent. À ce sujet, André Breton cite une lettre d'Horace Walpole à William Cole révélant la genèse d'un de ses ouvrages : *Le château d'Otrante*. Inspiré par un rêve, il le rédigea dans une sorte d'état second, d'une façon purement spontanée.

Archim d'Arnim, lui aussi, a été l'un des premiers à employer l'écriture automatique pour se libérer des contraintes de la pensée réfléchie. Mais André Breton considère qu'elle doit être accessible à tous et débarrassée de l'appareil de l'hypnose. Elle lui paraît réaliser ce que Schrenck Notzing voulait voir en cette dernière, à savoir un « moyen assuré de favoriser l'essor des facultés psychiques, et particulièrement du talent artistique, en concentrant la conscience sur la tâche à accomplir, et en affranchissant l'individu des facteurs inhibitoires qui le retiennent et le troublent au point parfois d'empêcher absolument l'exercice de ses dons latents ». L'esprit doit être complètement passif et ne faire que transcrire cette « dictée magique », en taisant toute faculté consciente. Il ne faut pas essayer de comprendre, et laisser les mots se succéder les uns aux autres.

C'est au dialogue que les formes du langage surréaliste s'adaptent le mieux ; car la rencontre des deux esprits fait surgir des images encore plus inattendues à condition que chacun des interlocuteurs poursuive « simplement son soliloque sans chercher à en tirer un plaisir dialectique particulier et à en imposer le moins du monde à son voisin ». Chacun parle pour soi et c'est ainsi qu'est né le chapitre : « Barrières » des *Champs magnétiques*.

Ces diverses plongées dans l'inconscient s'expriment par des images d'une grande beauté poétique, la poésie étant beaucoup plus apte que la peinture à suggérer ces abîmes mystérieux, car plus dégagée de la matière, plus rapide à traduire la succession des pensées dans l'esprit abandonné à lui-même. André Breton « tient les inspirations verbales pour infiniment plus riches de sens visuel, pour infiniment plus résistantes à l'œil que les images visuelles proprement dites » et va jusqu'à protester contre le « prétendu pouvoir *visionnaire* du poète ». Il soutient même que « Lautréamont et Rimbaud n'ont pas vu, n'ont pas joui *a priori* de ce qu'ils décrivaient, ce qui équivaut à dire qu'ils ne le décrivaient pas ; ils se bornaient dans les coulisses sombres de l'être à entendre parler indistinctement et durant qu'ils écrivaient... L'*Illumination* vient ensuite ».

Ces sondages dans le moi subliminal n'ont d'intérêt que s'ils enrichissent la notion d'homme, sa connaissance de lui-même et du monde, dont il n'est qu'un fragment. Le Surréalisme exige que « ceux qui possèdent, au sens freudien la "précieuse faculté" dont nous parlons, s'appliquent à étudier sous ce jour le mécanisme de l'*inspira-*

tion et à partir du moment où l'on cesse de la tenir pour une chose sacrée, que tout à la confiance qu'ils ont en son extraordinaire vertu, ils ne songent qu'à faire tomber ses derniers liens, voire – ce qu'on n'eut jamais encore osé concevoir – à se la soumettre... Nous la reconnaissons sans peine à cette prise de possession totale de notre esprit... à cette sorte de court-circuit qu'elle provoque entre une idée donnée et sa répondante... En poésie, en peinture, le Surréalisme a fait l'impossible pour multiplier ces courts-circuits. Il ne tient et il ne tiendra jamais à rien tant qu'à reproduire artificiellement ce moment idéal où l'homme, en proie à une émotion particulière, est soudain empoigné par ce "plus fort que lui" qui le jette à son corps défendant dans l'immortel. Lucide, éveillé, c'est avec terreur qu'il sortirait de ce mauvais pas. Le tout est qu'il n'en soit pas libre, qu'il continue à parler tout le temps que dure la mystérieuse sonnerie ; c'est en effet par où il cesse de s'appartenir qu'il nous appartient. Ces produits de l'activité psychique... aussi allégés que possible des idées de responsabilité toujours prêtes à agir comme freins, aussi indépendants que possible de tout ce qui n'est pas *la vie passive de l'intelligence,* ces produits que sont l'écriture automatique et les récits de rêves présentent à la fois l'avantage d'être seuls à fournir des éléments d'appréciation de grand style à une critique qui, dans le domaine artistique, se montre étrangement désemparée, de permettre un reclassement général des valeurs lyriques et de proposer une clé qui, capable d'ouvrir indéfiniment cette boîte à multiple fond qui s'appelle : l'homme, le dissuade de faire demi-tour, pour des raisons de conservation simple, quand il se heurte dans l'ombre aux portes extérieurement fermées de l' "au-delà", de la réalité, de la raison du génie et de l'amour ».

La route ouverte par la révolte, par la destruction, aboutit donc à un univers de féerie, où toutes les divagations sont permises, et dont le langage sera précisément cette écriture automatique. Comme les autres techniques elle permet d'explorer systématiquement les domaines du rêve, des rencontres en apparence inopinées, du « survenir » d'une façon, pour ainsi dire, expérimentale, mais qui, pratiquée par des poètes, revêt un tout autre aspect.

De contrastes fulgurants d'images jaillira alors une surprenante beauté que seuls des artistes pouvaient exprimer. Les poètes ne sont-ils pas « dans la connaissance de l'âme, nos maîtres à nous, hommes vulgaires, car ils s'abreuvent à des sources que nous n'avons pas encore rendues à la science » ?

Chapitre II

ART ET SURRÉALITÉ

I. – Poésie

Il fallait une grande hardiesse pour s'engager ainsi dans ces zones marécageuses de l'inconscient « pour la seule tentation de jeter de ci, de là sur le sable une poignée d'algues écumeuses et d'émeraudes ». Des poètes étaient capables de cette audace, car la beauté des images découvertes pouvait leur faire oublier les obstacles que le monde oppose à leurs rêves. Comme l'observe René Crevel, « la poésie lance des ponts d'un sens à l'autre, de l'objet à l'image, de l'image à l'idée, de l'idée au fait précis. Elle est la route entre les éléments d'un monde que des nécessités temporelles d'étude avaient isolés, la route qui mène à ces bouleversantes rencontres dont témoignent les tableaux et collages de Dali, Ernst, Tanguy. Elle est la route de la liberté ».

La libération de l'automatisme, des élans spontanés, que l'éducation traditionnelle sous-estime ou s'acharne à réprimer, en se refusant à y voir les facteurs constitutifs de notre épanouissement véritable, doit être réalisée par cet effort désespéré pour affranchir la poésie de toutes ses entraves et la dégager des servitudes de la morale et de la logique.

Pour l'artiste qui aperçoit le merveilleux à travers le réel, le monde entier pourra revêtir un aspect poétique : des affiches, des réclames, des coupures de journaux réunies au hasard constituant des poèmes, car de même qu'il suffit d'arracher un objet à son sens usuel pour le précipiter dans le Surréel, de même le rapprochement de lambeaux de phrases ou d'images hétéroclites détourne l'esprit de la réalité et le fait pénétrer dans un autre univers. Selon Tristan Tzara, « on peut être poète sans avoir jamais écrit un seul vers... il existe une qualité de poésie dans la rue, dans un spectacle commercial, n'importe où ».

La vie entière devient prétexte à poésie. « On peut partir d'un fait quotidien : un mouchoir qui tombe peut être pour le poète le levier avec lequel il soulèvera tout un univers. » Un acte, d'apparence insignifiant, offre une révélation à quiconque sait se réduire à n'être que l'instrument d'une voix qui s'exprime à travers son être. Chaque homme est un poète qui s'ignore, il suffit qu'il détourne son regard de son horizon borné pour s'ouvrir à ce merveilleux qui le dépasse.

Par contre, l'œuvre d'un Valéry où les problèmes littéraires prennent « figure d'abstraction, de limite théorique, d'épure » a suscité la révolte des contempteurs de tout calcul en littérature. « *Anthinéa :* gloire des solides et le *Poisson soluble,* d'autre part, deux figures opposées : un néoclassicisme et un néo-romantisme » remarque Albert Thibaudet. Et les Surréalistes ne pouvaient que s'indigner de cette affirmation de Valéry : « J'aimerais infiniment mieux écrire en toute conscience... quelque chose de faible, que d'enfanter à la faveur d'une transe..., un chef-d'œuvre d'entre les plus beaux. » Vers 1921, rappelle Jean Paulhan, ils se séparèrent donc de ce poète, pour s'enfoncer dans les labyrinthes de l'instinctif, du vital. « Plutôt la folie, que les calculs et la ruse », s'écrièrent-ils.

À la recherche de la vie authentique, ces nouveaux romantiques considèrent que les retouches ne peuvent que défigurer cette Surréalité si difficilement entrevue. « L'hallucination, la candeur, la fureur, la mémoire, ce Protée lunatique, les vieilles histoires, la table et l'encrier, les paysages inconnus, la nuit tournée, les souvenirs inopinés, les prophéties de la passion, les conflagrations d'idées, de sentiments, d'objets, la nudité aveugle, les entreprises systématiques à des fins inutiles devenant de première utilité, le dérèglement de la logique jusqu'à l'absurde, l'usage de l'absurde jusqu'à l'indomptable raison, c'est cela, selon Paul Éluard, et non l'assemblage plus ou moins savant, plus ou moins heureux... des consonnes, des syllabes, des mots qui contribue à l'harmonie d'un poème. Il faut parler une pensée musicale qui n'ait que faire des tambours, des violons, des rythmes et des rimes du terrible concert pour oreilles d'âne. » Selon cette conception, l'art est une libération de l'esprit, de ses limites, qui rend enfin possible l'essor de la pure inspiration.

Pour les Surréalistes, il s'agit donc à la fois de sortir du réel borné et de dépasser les théories illusoires de l'art pour l'art. Pour André Breton, la « poésie doit mener quelque part », et ses disciples attendent de leur inconscient la révélation des mystères de la Surréalité.

Le Surréaliste est proprement un « inspiré », car on ne saurait *se glorifier* que *de ce dont on est le moins responsable*. Ainsi, raconte André Breton, « chaque jour, au moment de s'endormir », Saint-Pol-Roux faisait naguère placer sur la porte de son manoir de Camaret un écriteau sur lequel on pouvait lire : « Le poète travaille. » Quel dédain de l' « exercice » poétique cher à Paul Valéry que cette conception selon laquelle « à la moindre rature, le principe d'inspiration totale est ruiné... L'imbécillité efface ce que l'oreiller a prudemment *créé*... Quelle fierté d'écrire, sans savoir ce que sont langue, verbe... ni concevoir la *structure* de la durée de l'œuvre, ni les conditions de sa fin ; pas du tout le pourquoi, pas du tout le comment ! » Pour les Surréalistes, « perfection, c'est *paresse* ».

L'effort volontaire ainsi doit être banni, la discrimination altérerait la pureté de l'inspiration en risquant de ternir les aperçus que l'on cherche à capter sur l'inconnu. « Il est en effet remarquable que de Baudelaire et Poe jusqu'à Mallarmé, un courant dont l'auteur de *Charmes* a recueilli et nettement énoncé les tendances, entraîne les écrivains à ne se préoccuper que d'une tenace et très parfaite *attention,* alors que les poètes surréalistes, héritiers de Rimbaud et Lautréamont, proclament d'autre part que le secret de toute création réside essentiellement dans l'état de rêve, qui représente justement le point le plus accompli de *désintérêt* auquel l'esprit humain puisse normalement parvenir. »

L'inspiration, comme l'a écrit Louis Aragon, est « disponibilité au plus authentique de l'esprit et du cœur humain, au Surréel ». Au contraire, les disciples de Mallarmé et de Valéry, tendent à l'extrême les ressorts de leur esprit, pour tenter de s'emparer de la puissance divine du Créateur.

Pour se représenter ces tendances divergentes vers le mystère du cosmos, Rolland de Renéville propose que le lecteur s'imagine un instant que son esprit est un « cercle idéal » au milieu duquel réside l' « image de sa conscience, et les zones comprises entre le point central et les bords de la circonférence : le royaume pur de son inconscient ». Les Surréalistes s'efforcent de supprimer ce centre de conscience, afin de s'identifier à l'Infini, car pour eux comme pour Rimbaud, « la première étude de l'homme qui veut être poète est sa propre connaissance entière ; ... il s'agit de faire l'âme monstrueuse... ». Abandonnés à leur inspiration, ils essayent d'atteindre à l'unité de l'univers, d'être les messagers des Dieux, comme les Oracles de l'Antiquité. « Si l'on songe, avec Louis Aragon, que le conscient ne puise nulle part ses éléments, si ce n'est dans l'inconscient, on est obligé de convenir que le conscient est contenu dans l'inconscient. »

Il y a donc antinomie entre cette conception et celle des poètes qui travaillent à donner une telle importance au point central du cercle « que ce noyau finisse par reculer les frontières de l'inconscient jusqu'à les faire disparaître, en l'intégrant peu à peu dans son empire lucide. Cet élargissement progressif du centre de conscience sera l'effet d'une *attention* implacable et vorace, dont l'objet importera peu, puisqu'elle n'aura d'autre fin que sa propre intensité. Cette immense lumière aura tôt fait de s'étendre à l'ensemble de l'esprit ». Et, pour Paul Valéry, dans *Variétés,* « la véritable condition d'un véritable poète est ce qu'il y a de plus distinct de l'état de rêve ».

Toutefois, l'unique but de ces deux méthodes reste l'absolu, d'où la sympathie initiale, mais éphémère, qu'il y eut entre Paul Valéry et André Breton. L'ambivalence de leurs positions avait été précisée par avance, dans cette phrase de Baudelaire : « De la concentration et de la vaporisation du moi, tout est là », et selon leur goût, les uns s'attachent à ciseler leurs poèmes, afin que de la combinaison minutieuse des mots surgisse un nouveau Réel, les autres s'enfoncent dans les entrailles de l'univers pour parvenir à la source du mystère.

Ce n'est qu'après cette pêche en eau trouble, que les Surréalistes formulent leurs conceptions métaphysiques et psychologiques, car encore veulent-ils comprendre les révélations de leur art. En effet, pour André Breton, la poésie doit suggérer une « solution particulière du problème de notre vie ». Elle n'est qu'un moyen d'accès à des terres immenses que l' « art contraint depuis des siècles, de ne s'écarter qu'à peine des sentiers battus du *moi* et du *super-moi,* ne peut que se montrer avide d'explorer ».

Le poète pourra s'inspirer des romans noirs, contes de fées pour adultes, ayant pour ressorts : « la peur, l'attrait de l'insolite, les chances, le goût du luxe ». L'expression de ces instincts refoulés de l'homme, le délivrera peut-être de son irrémédiable inquiétude. Comme l'a remarqué Georges Hugnet, le Surréalisme a fait accomplir à la poésie un pas immense. « De la littérature et, pourrait-on dire, du papier, la poésie, par lui, a glissé en plein cœur de la vie. Elle n'est plus un art, un état d'esprit, mais la vie, mais l'esprit. Elle est un mode de sentir et de ressentir, un mode d'application de la vue et de la double vue, une méthode de connaissance. »

Pour André Breton et Paul Éluard la poésie peut donc se définir comme l' « essai de représenter, ou de restituer, par des cris, des larmes, des caresses..., ou par des objets, *ces choses,* ou *cette chose* que *tend obscurément d'exprimer le langage articulé* dans ce qu'il a d'apparence de vie ou de dessein supposé. Cette chose... est de la nature de cette énergie qui se refuse à répondre à ce qui est... ».

Dans ce flot débordant, la personnalité du poète disparaît, il se fait l'écho des universelles correspondances, des résonances mystérieuses de l'univers. Partis des sphères valéryennes, les Surréalistes ont découvert que s'accumulait quelque part, une poésie douée d'un énorme dynamisme qui surgit des entrailles mêmes de l'être, en un fleuve de boue libérateur. « Pendant des années, écrit André Breton, j'ai compté sur le débit torrentiel de l'écriture automatique pour le nettoyage définitif de l'écurie littéraire. À cet égard, la volonté d'ouvrir toutes grandes les écluses, restera sans nul doute l'idée génératrice du Surréalisme. »

Insurgés contre le monde et contre Dieu, ces révoltés ne pouvaient d'abord que s'enfoncer dans les profondeurs de la chair, et du péché. Dans ce retour au chaos primitif, où tout est confusion, les poètes ont, en vertu de leur sensibilité exceptionnelle, le privilège unique de savoir, de loin en loin, refléter la véritable objectivité. L'artiste authentique n'exprime pas une émotion particulière et individuelle, mais pénètre aux racines profondes de l'humanité. Les Surréalistes, au début de leurs recherches, ne descendirent pas en eux-mêmes pour lutter contre leurs désirs ou leurs instincts, mais au contraire, pour leur laisser libre cours. « Un poème doit être une débâcle de l'intellect. » Ils pénètrent non pas dans un monde transcendant, mais dans le royaume des instincts, et c'est pourquoi leurs ouvrages sont peuplés de monstres, car « la flore et la faune du Surréalisme sont inavouables ». De *La liberté ou l'amour* se dégage l'impression « que notre individualité bornée communique avec un infini paradisiaque et obscène ». Ce livre de Robert Desnos exprime selon Gabriel Bounoure « le fait pur de vivre, le désir dans sa fureur primordiale, le merveilleux sexuel..., avec une grandeur ténébreuse qui impose la réalité de ce fantastique immanent où consiste l'expérience surréaliste ».

En ce sens, bien que n'appartenant pas au mouvement surréaliste, Pierre-Jean Jouve dans une œuvre comme *Sueur de sang* « atteint le Surréel par le Sous-Réel... Il s'acharne à connaître le pire de lui-même, ces monstres qui sont en nous, endormis ou éveillés et qui ne sont pas tout à fait nous, car c'est par *ces lieux* d'abord qu'il faut regarder l'univers, *au péril de la vie, au péril de l'amour* ». Ses contes opposent le monde civilisé au chaos originel, ils sont les *Histoires sanglantes* du conflit « entre le présent d'un esprit et ses forces obscures ».

Les descriptions des plus basses corruptions humaines attirent donc l'attention sur une région laissée généralement dans l'ombre. Mais ce « nettoyage par l'ordure », indispensable à qui veut se libérer de ses désirs n'est qu'un point de départ vers une réalité plus haute.

En effet ce n'est pas parce que le poète se laisse guider par son inconscient que son œuvre n'aura aucun sens. « L'homme qui tient la plume ignore ce qu'il va écrire, ce qu'il écrit, de ce qu'il le découvre en se relisant, et se sent étranger à ce qu'a pris par sa main une vie dont il n'a pas le secret, de ce que par conséquent il lui semble qu'il a écrit n'importe quoi, on aurait bien tort de conclure, affirme Louis Aragon, que ce qui s'est formé ici, c'est vraiment n'importe quoi. C'est quand vous rédigez une lettre pour dire quelque chose, par exemple, que vous écrivez n'importe quoi. Vous êtes livré à *votre* arbitraire. Mais dans le surréalisme, tout est rigueur. Rigueur inévitable. Le sens se forme en dehors de vous. Les mots groupés finissent par signifier quelque chose, au lieu que, dans l'autre cas, ils voulaient dire primitivement ce qu'ils n'ont que très fragmentairement exprimé plus tard. »

Aucune manifestation de l'esprit n'est méprisable, et « dans l'expérience surréaliste, tout se passe comme si la courbe d'un mobile, duquel nous ne savons rien s'inscrivait. Au nom de quoi discuteriez-vous les variations de cette courbe ? Ses hauts, ses bas, ses interruptions valent par ce qu'ils expriment d'inconnu. Cet inconnu, c'est à sa quête que ceux qui poursuivent l'expérience présente se sont lancés ». Louis Aragon élimine donc les esprits médiocres qui ne voient qu'un « truc », là où il y a inspiration. « Ainsi le fond d'un texte surréaliste importe au plus haut point, c'est ce qui lui donne son précieux caractère de révélation. »

**

Ce n'est pas seulement de son sens profond que se dégage la valeur d'une telle poésie, mais aussi de sa forme. À la différence de l'écrivain classique qui décrit la réalité présente à tous, l'écrivain surréaliste transmet les vibrations du monde intérieur, aussi ses expressions seront-elles empreintes de leur mystère. Comme l'a écrit Rimbaud : si ce que le poète « rapporte de *là-bas* a forme, il donne forme ; si c'est informe il donne de l'informe ». Il est difficile de traduire l'univers du rêve avec le langage usuel, il faut donc souvent lui attribuer un sens inattendu. C'est en effet l'habitude qui nous dissimule ce que les mots les plus usés ont de surprenant et ce n'est que pour des oreilles qui ont su rester jeunes qu'ils reprennent toute leur fraîcheur et leur poésie. Aussi, comme le remarque Pierre-Jean Jouve à propos de son ouvrage : *Vagadu,* la lecture des œuvres surréalistes « requiert une inclination toute spéciale de l'esprit. Le lecteur devra renoncer à comprendre clairement du premier coup, il devra correspondre aux choses variées mais insistantes qui passent devant ses yeux ». Oubliant tout l'acquis d'une culture artificielle il pourra se laisser envahir par le flux de la vie intérieure.

De même que l'écriture automatique, le poème permet à l'homme d'entrevoir un nouveau monde et d'en équilibrer les éléments avec ceux du monde extérieur. « Réduits alors à égalité, ils s'entremêlent, se confondent pour former l'unité poétique. » En ce sens l'accord du fond et de la forme, critère kantien de la beauté, peut caractériser aussi les poèmes surréalistes authentiques. Le Surréalisme a d'ailleurs son *Traité du style,* et selon son auteur, Louis Aragon, « il y a moyen si choquant qu'on le trouve de distinguer entre les textes surréalistes. D'après leur force. D'après leur nouveauté. Et il en est d'eux comme des rêves : ils ont à être bien écrits ». Aussi un critique belge, Louis Carette, considère que « c'est la forme, c'est le style qui porteront *Nadja* et *Le paysan de Paris...* sur les rives de la postérité ».

*
* *

Bergson avait aussi considéré le langage discursif comme impuissant à rendre l'impondérable que l'intuition peut atteindre. On ne peut qu'essayer par des images de le suggérer au lecteur. Il faut en vue d'une ascèse de l'esprit frapper l'imagination, la sensibilité, et non s'adresser à l'intelligence.

Toutefois, c'est spontanément que sous la plume des Surréalistes naît cette fantasmagorie étrange qui bouleverse nos conceptions artistiques. André Breton s'oppose d'ailleurs à toute tentative esthétique ou morale « de fonder la beauté formelle sur un travail de perfectionnement volontaire auquel il appartiendrait à l'homme de se livrer ». Elle surgit « de l'image telle qu'elle se constitue dans l'écriture automatique », et il la qualifie de convulsive. Les « beau comme » de Lautréamont constituent le manifeste de cette nouvelle poésie.

Il faut donc distinguer soigneusement avec Jacques Rivière des images utilisées par les littérateurs pour « doubler une idée » ou « aiguiller les sens sur la même voie que l'intelligence », l'image pure qu'emploient les Surréalistes. Ils l'expriment par « un groupe de mots correspondant uniquement à une chose vue, sans rien qui en marque la liaison avec l'ensemble de notre vision, sans rien qui contribue à l'intégrer dans notre système intellectuel. Toute la poésie postdadaïste est un gros tas de ces images où, armés de notre intuition comme d'une loupe, nous pouvons s'il fait beau, venir voir bouger les astres, les anges à des distances indéfinissables ».

Les images les plus fortes sont les plus arbitraires, les plus contradictoires, les plus difficiles à exprimer. Elles déconcertent à la fois raison et sens, et font participer les objets les uns aux autres. Une atmosphère de rêve, une intense poésie se dégagent des œuvres qui expriment cet univers enchanté. Leurs titres mêmes sont suggestifs, comme *Le poisson soluble,* manière inattendue d'exprimer que l' « homme est soluble dans sa pensée ». Se laissant entraîner par cette brillante féerie, l'esprit ira « porté par ces images qui le ravissent... c'est la plus belle des nuits, *la nuit des éclairs,* le jour, auprès d'elles est la nuit ».

Du Revolver à cheveux blancs, extrayons encore les images suivantes : « Un collier de perles pour lequel on ne saurait trouver de fermoir, et dont l'existence ne tient pas à un fil, voilà le désespoir... Dans ses grandes lignes, le désespoir n'a pas d'importance. C'est une corvée d'arbres qui va encore faire une forêt, c'est une corvée d'étoiles qui va encore faire un jour de moins, c'est une corvée de jours de moins qui va encore faire une vie. »

André Breton veut donc « remonter aux sources de l'imagination poétique... une flèche indique maintenant la direction de ces pays, et l'atteinte du but véritable ne dépend plus que de l'endurance du voyageur ». Abandonnée à elle-même, la pensée est si vite envahie par des fantasmagories d'images, que Louis Aragon s'écrie : « Nous avions perdu le pouvoir de les manier : nous étions devenus leur domaine, leur monture. »

Les rapprochements inattendus de réalités distantes n'ont du reste rien de volontaire. André Breton nie que des images de Pierre Reverdy comme « Dans le ruisseau il y a une chanson qui coule », ou « Le jour s'est déplié comme une nappe blanche », ou encore « Le monde rentre dans un sac », offrent le moindre degré de préméditation... C'est du rapprochement en quelque sorte fortuit des deux termes qu'a jailli une lumière particulière, *lumière de l'image,* à laquelle nous nous montrons infiniment sensibles ». Ces éléments ne sont pas reliés « *en vue* de l'étincelle à produire... ils sont les produits simultanés de l'activité qu'André Breton appelle surréaliste, la raison se bornant et à constater, et à apprécier le phénomène lumineux.

Et de même que la longueur de l'étincelle gagne à ce que celle-ci se produise à travers des gaz raréfiés, « l'atmosphère surréaliste créée par l'écriture mécanique... se prête particulièrement à la production des plus belles images. On peut même dire que les images apparaissent dans cette course vertigineuse, comme les « seuls guidons de l'esprit ».

Ainsi « tout en exprimant l'angoisse de son temps, le Surréalisme a réussi à donner une figure nouvelle à la beauté ».

*
* *

La promenade dans cette « zone interdite » aboutit à un monde paré d'une si grande séduction que l'aventureux qui s'y est hasardé n'aspire plus qu'à la recommencer. Le Surréalisme par ses effets mystérieux, ses jouissances particulières est un *vice nouveau,* révélateur de paradis comparables à ceux procurés par le haschich. Toute la vie semble alors se réfugier dans une sorte de griserie mouvante, qui fait chanceler la raison, et lui ouvre la porte de l'Inconnu. « J'annonce au monde, s'exclame Louis Aragon, dans *Le paysan de Paris,* ce fait divers de première grandeur : un nouveau vice vient de naître, un vertige de plus est donné à l'homme, le Surréalisme, fils de la frénésie et de l'ombre. Entrez, entrez, c'est ici que commencent les royaumes de l'instantané. Les dormeurs éveillés des *Mille et une nuits,* les miraculés et les convulsionnaires, que leur envierez-vous, haschichins modernes, quand vous évoquerez sans instrument la gamme jusqu'ici incomplète de leurs plaisirs émerveillés, et quand vous vous assurerez sur le monde un tel pouvoir visionnaire, de l'invention à la matérialisation glauque des clartés glissantes de l'éveil, que ni la raison, ni l'instinct de conservation malgré leurs belles mains blanches, ne sauront vous retenir d'en user sans mesure... Le vice appelé Surréalisme est l'emploi déréglé et passionnel du stupéfiant image, ou plutôt de la provocation sans contrôle de l'image pour elle-même, et pour ce qu'elle entraîne dans le domaine de la représentation de perturbations imprévisibles et de métamorphoses ; car chaque image à chaque coup vous force à réviser tout l'Univers... Ravages splendides : le principe d'utilité deviendra étranger à tous ceux qui pratiquent ce vice supérieur. »

Dans la sphère du Surréel, on est loin du monde des idées claires et des données connues. Mais l'hétérogénéité des images, il est vrai, leur incohérence n'existe qu'en regard de nos habitudes de classification orientées vers l'utile. Le poète au contraire, par sa sensibilité aiguisée, saisit leurs analogies profondes, la source dont elles émanent, et à laquelle il aspire à retourner. On peut définir même l'image comme l' « unité de l'esprit retrouvée dans la multiplicité de la matière », et Pierre Gueguen la tient pour une « forme magique du principe d'identité ». Alors que pour tant de poètes contemporains, le désordre n'est que l'opposé de l'alignement, pour d'autres qui visent des cimes plus élevées, son aspect diabolique est le reflet d'un ordre supérieur. Leurs visions, en se heurtant, en s'opposant se détruisent et désencombrent l'esprit, y font pour ainsi dire le vide et le purifient. C'est par l'accumulation d' « images du néant, telles que la neige ou la nuit » que Paul Éluard selon Rolland de Renéville évoque la « présence d'une entité unique » qui se tient derrière les diverses formes des apparences amoureuses, car c'est par une dialectique de l'amour qu'il s'élève des visages multiples de la femme, à la femme idéale. « Tout jeune, écrit-il dans *Donner à voir,* j'ai ouvert les bras à la pureté. Ce ne fut qu'un battement d'ailes au ciel de mon éternité, qu'un battement de cœur, de ce cœur amoureux qui bat dans les poitrines conquises. Je ne pouvais plus tomber. »

Mais cette « découverte de l'identité de l'être aimé et de l'absolu a pour contrepartie sur le plan moral », celle de l'isolement irrémédiable de l'homme, par le sentiment même de son éloignement de cette unité sublime. Aussi un des poèmes de Paul Éluard a-t-il pour titre l'*Univers-Solitude.* Sa poésie « scintille dans un silence interstellaire, parée de la nudité surréelle de l'existence pure, fille de l'instant concret fulgurant et mourant dans le rêve ».

L'art, pour les Surréalistes, n'est donc qu'une voie d'accès à la Surréalité. Ainsi leurs ouvrages ne sont pour ainsi dire poétiques, que par surcroît, car André Breton conseille de « *pratiquer* la poésie » pour atteindre cette révélation suprême. « Le plaisir ou l'émotion littéraire ne sont plus ici qu'un cas particulier des lois encore mystérieuses qui régissent les activités fondamentales de l'esprit. »

*_**

Au fur et à mesure que la société a évolué, on a assisté à une emprise de plus en plus grande de la pensée réfléchie sur la spontanéité. Chez les primitifs pourtant, le rêve reste un moyen de connaissance et les poètes sont de véritables prophètes. Une barrière s'est ensuite élevée entre les mondes subjectif et objectif, et le rêve n'a malheureusement plus servi que d' « instrument de signalisation à toute une série de névroses et de maladies mentales ».

Aussi s'agit-il d'abattre les séparations arbitraires qui divisent l'homme, et Tristan Tzara considère que de ce point de vue, le poète a une véritable mission à remplir : ne reste-t-il pas le champion de cette activité désintéressée qu'il s'agit d'extérioriser et de faire prédominer ? Ses symboles projettent « sur le monde extérieur, par divergence et par une forme supérieure, des faits correspondants à ceux qui gisent à l'état latent sous les fonds du monde intérieur. Ce qui est relativement statique est transformé en relativement dynamique et les facultés inhibitoires du rêve se transforment en facultés exhibitoires de la poésie ». À celle qui n'est que moyen d'expression, de moralisation ou de propagande doit être substituée la poésie « activité de l'esprit ».

Le véritable poète est, par essence, révolutionnaire, car il tente seul, contre tout désir de sécurité, cette identification aux puissances irrationnelles, fondements de notre vraie nature. La poésie transcende de beaucoup les mots ou les images chargés de l'exprimer ainsi que ses conditions sociales. « De fait, elle embrasse, dans leur totalité complexe, les destinées de la pensée. En effet, le fonctionnement même de la pensée gravite autour de la poésie, tandis que celle-ci élève la pensée, la dépasse et la nie dans son devenir. »

II. – Peinture, collage et cinéma

Puisque seules, des images de rêve peuvent suggérer l'enivrement de la liberté retrouvée, nombreux sont les artistes qui ont exprimé leurs illuminations, non plus par des mots, mais par des couleurs. La peinture est en effet le « champ d'influence le plus vaste de la poésie », à condition qu'elle « soit libérée du souci de reproduire essentiellement des formes prises dans le monde extérieur ». « Elle ne "saurait avoir pour fin le plaisir des yeux", son but étant de faire "faire un pas à notre connaissance abstraite proprement dite" ».

Les Surréalistes désespèrent les critiques d'art en anéantissant la conception du talent et en affirmant que la peinture surréaliste est à la portée des êtres en quête de révélations véritables et prêts pour cela à se laisser pénétrer par l'inspiration. La part du peintre étant réduite au minimum, « aucune conduction mentale consciente n'étant de mise dans le devenir d'une œuvre méritant la qualification de surréaliste absolue, la part active de celui qu'on appelait jusqu'ici l'*auteur* de l'œuvre se trouve subitement réduite à l'extrême, et de même que le rôle du poète est d'écrire sous la dictée de ce qui se pense (s'articule) en lui, le rôle du peintre, selon Max Ernst, est de cerner et de projeter ce qui se voit en lui ». Salvador Dali avoue aussi qu'il n'y a rien d'étonnant à ce que le public ne comprenne pas ses tableaux, puisqu'il ne les comprend pas lui-même. Comme il cherche à reproduire les images délirantes des paranoïaques, elles ne peuvent être pour lui qu' « authentiquement inconnues », de « caractère hallucinatoire » et « toute explication surgit donc *a posteriori,* une fois le tableau existant déjà comme phénomène ». Ainsi, dans l'un d'eux, on peut voir « six images simultanées sans qu'aucune subisse la moindre déformation figurative, torse d'athlète, tête de lion, tête de général, cheval, buste de bergère, tête de mort. Des spectateurs différents voient dans ce tableau des images différentes ». Et chacun de l'interpréter à sa guise, selon son tempérament, tout comme les divers auditeurs d'une symphonie éprouvent des émotions diverses.

De plus les différents arts peuvent être considérés comme des moyens divers de traduire la même intuition.

Certains Surréalistes comme Arp, Dali s'expriment indifféremment « sous la forme poétique ou plastique » et André Breton considère « qu'il n'existe..., aucune différence d'ambition fondamentale entre un poème de Paul Éluard, de Benjamin Péret et une toile de Max Ernst, de Miro, de Tanguy ». Ainsi dans *La métamorphose de Narcisse,* Salvador Dali ajoute à son poème, un tableau qui est un « dyptique où deux figures jumelles apparemment semblables représentent : la première, Narcisse abîmé dans sa propre contemplation, la deuxième, une main de pierre tenant un œuf d'où jaillit la fleur fameuse. Poème et peinture sont complémentaires » remarque André Lhote. Pour la première fois, « un tableau et un poème surréalistes comportent objectivement l'interprétation cohérente d'un sujet irrationnel développé ».

La peinture, comme la poésie, est alors l'expression de la seconde vie de l'homme. Une toile de Chirico qui représente une « énorme femme de marbre, couchée sur un coffre de bois avec un chemin de fer pour fond, le tout peint de couleurs empruntées à l'art du bâtiment, ne peut, selon Jacques Rivière, avoir aucune signification d'ordre proprement esthétique, mais communique à l'âme une émotion ambiguë qui lui vient de ne pas savoir si elle crée un monde ou si elle en reçoit révélation ». Chirico fut aussi poète, et Paul Éluard considère l'auteur d'*Hebdomeros* comme le peintre de l'« Intérieur métaphysique » du monde. Kandinsky, lui aussi, de 1910 à 1919, élabora, selon José Pierre, un « monde d'où s'arrachent les visions comme autant d'images de l'invisible », une œuvre d'art n'étant vraiment immortelle que si elle sort complètement des limites de l'humain, par-delà le bon sens et la logique.

Les Surréalistes ont poussé à l'extrême une conception de la peinture, vers laquelle de nombreux artistes s'étaient déjà orientés. Ainsi à la Bibliothèque nationale furent exposées des gravures de ceux qui « de Raphaël à Odilon Redon » exprimèrent leurs rêves ou leurs cauchemars. Malgré leur mépris de l'impressionnisme, les Surréalistes continuent cependant le mouvement amorcé par cette école qui ne fait que suggérer les objets pour mieux se tourner vers l'être intérieur.

Ils subirent également l'influence de Cézanne, le « frère en esprit de Rimbaud » et selon André Lhote le « père de ce Surréalisme pictural qui régnera demain ». Cependant pour les Surréalistes c'est le cubisme qui a été une révélation, en ce sens qu'il s'est désolidarisé des moyens matériels, qu'il s'est affranchi des nécessités pratiques, contribuant ainsi à délivrer l'homme de la routine.

Mais c'est surtout à Picasso que va l'admiration d'André Breton, car il a été le premier à imposer à l'art un certain côté « hors la loi », en cherchant à dépayser les objets, en les arrachant à leur signification courante. Ses tableaux ressuscitent les visions de l'enfance où le monde apparaît dans toute sa fraîcheur et sa nouveauté. Cependant, s'ils déroutent par leur révolte contre une vue banale de la réalité extérieure, on ne peut néanmoins affirmer qu'ils soient issus du seul automatisme, car pour Picasso une « volonté de conscience totale qui pour la première fois peut-être s'est mise de la partie, oriente l'effort ». Mais comme cet artiste a le grand mérite « de confronter tout ce qui existe à tout ce qui peut exister », on n'a pas besoin de lui demander compte des moyens employés pour arracher l'homme aux conventions. Il n'est si grand, aux yeux d'André Breton « que parce qu'il s'est trouvé ainsi constamment en état de défense à l'égard de ces choses extérieures, y compris de celles qu'il avait tirées de lui-même, qu'il ne les a jamais tenues, entre le moi et le monde, que pour des moments de l'intercession. Le périssable et l'éphémère à rebours de tout ce qui fait généralement l'objet de la délectation et de la vanité artistiques ont été recherchés pour eux-mêmes ». Il faut oublier tout ce qui est préjugé esthétique, raison et logique, pour apprécier de telles œuvres.

Les deux directions du Surréalisme, d'une part, suggérer le mystère de l'inconscient, de l'autre, bouleverser le réel, sont donc réunies dans l'œuvre de Picasso. Sa volonté révolutionnaire se marque même par une agressivité tout à fait caractéristique. Par contre, les peintres surréalistes se différencient selon leurs tempéraments. Alors que les uns expriment surtout leurs rêves, les autres s'attaquent à la réalité, pour lui restituer sa profondeur.

À la tendance subjective de la peinture, appartiennent des artistes comme Francis Picabia et Marcel Duchamp. Avec eux, « nous avons affaire non plus à la peinture, ni même à la poésie ou à la philosophie de la peinture, mais bien à quelques-uns des paysages intérieurs d'un homme parti depuis longtemps pour le pôle de lui-même ».

De même des tableaux d'André Masson, une atmosphère inexprimable se dégage. Joan Miro, toujours selon André Breton, est le « plus surréaliste » de tous ses disciples par son abandon total à l'automatisme. « Nul n'est prêt d'associer comme lui l'inassociable, de rompre indifféremment ce que nous n'osons souhaiter de voir rompu. » Il s'est fait l'instrument de ces puissances supérieures auxquelles les « grands Primitifs ont eu quelque peu affaire... C'est à elles qu'il doit de savoir que la Terre ne tire vers le ciel que de malheureuses cornes d'escargot, que l'air est une fenêtre ouverte sur une fusée ou sur une grande paire de moustaches..., que la bouche du fumeur n'est qu'une partie de la fumée et que le spectre solaire, prometteur de la peinture, s'annonce comme un autre spectre, par un bruit de chaînes ».

Les tableaux d'Yves Tanguy nous introduisent aussi dans le monde du mystère et rendent risibles les prétentions des amateurs qui veulent y reconnaître à tout prix des êtres habituels comme un animal ou un arbre ; parce qu'ils ne peuvent être que victimes de cette tendance à ramener l'inconnu au connu, au lieu de s'élancer sur des routes nouvelles. Yves Tanguy peint un univers où les lois de notre monde sont bouleversées, où « la balle de plume pèse autant que la balle de plomb, où tout peut s'envoler comme s'enfouir ». Son œuvre influencera celle de Matta dont les toiles deviendront selon Marcel Jean des « Labyrinthes de Verre » dont les « habitants » chercheront en vain à s'évader.

Ces peintres ont donc une originalité qui laisse bien loin derrière les simples imitateurs de la nature. Le réel, comme dans le rêve, ne fait que fournir des éléments qu'ils organisent au gré de leur inspiration.

*
* *

Léonard de Vinci lui-même avait déjà insisté sur l'importance de l'imagination créatrice pour laquelle la synthèse des perceptions n'est qu'un tremplin pour passer dans l'irréel. « Si vous prenez garde, conseille-t-il à ses élèves, aux salissures de quelques vieux murs ou aux bigarrures de certaines pierres jaspées, il s'y pourra rencontrer des inventions et des représentations de divers paysages, des confusions de batailles, des attitudes spirituelles, des airs de têtes ou de figures étranges, des habillements capricieux et une infinité d'autres choses parce que l'esprit s'excite parmi cette confusion et qu'il y découvre plusieurs inventions. » Les peintres surréalistes qui expriment leur univers intérieur n'ont pas fait autre chose que de retrouver et d'appliquer cette conception.

Ainsi, « tout le problème du passage de la subjectivité à l'objectivité » se trouve résolu dans la leçon de Léonard, engageant ses élèves « à copier leurs tableaux sur ce qu'ils verraient se peindre » en considérant un vieux mur. Selon André Breton la « portée de cette résolution dépasse de beaucoup en intérêt humain celle d'une technique, quand cette technique serait celle de l'inspiration même. C'est tout particulièrement dans cette mesure qu'elle a retenu le surréalisme ». Les images ainsi extériorisées sur une muraille, un nuage ou tout autre écran deviennent les symboles des désirs refoulés, les Surréalistes restant toujours fidèles à leur but : déceler la nature primitive de l'homme par l'interprétation des signes qui la manifestent, afin de faire craquer le vernis de l'éducation.

La façon dont Max Ernst nous raconte la genèse de quelques-uns de ses tableaux témoigne de ce rôle secondaire du réel qui ne fait que matérialiser le Surréel. « Tombant par hasard ou comme par hasard sur, par exemple, les pages d'un catalogue où figuraient des objets pour la démonstration anatomique ou physique, nous y trouvâmes réunis des éléments de figuration tellement distants que l'absurdité de cet assemblage provoqua en nous la succession hallucinante d'images contradictoires, se superposant les unes aux autres avec la persistance, la rapidité qui sont le propre des souvenirs amoureux. Ces images appelaient elles-mêmes un plan nouveau pour leurs rencontres dans un inconnu nouveau (le plan de non-convenance). Il suffisait alors d'ajouter, en peignant ou en dessinant, et pour cela en ne faisant que reproduire docilement *ce qui se voit en nous,* une couleur, un griffonnage, un paysage étranger aux objets représentés, le désert, le ciel, une coupe géologique, un plancher, une seule ligne droite signifiant l'horizon, pour obtenir une image fidèle et fixe de notre hallucination et transformer en un drame révélant nos plus secrets désirs, ce qui auparavant n'était qu'une banale page de publicité. »

Par là, Max Ernst fut amené à inventer le procédé du *frottage,* basé sur *l'intensification de l'irritabilité des facultés de l'esprit* en posant au hasard des feuilles de papier enduites de mine de plomb sur les lames du parquet d'un panneau qui l'obsédait. « Les dessins ainsi obtenus perdent de plus en plus, à travers une série de suggestions et de transmutations qui s'offrent spontanément, à la ma-

71

nière de visions hypnagogiques, le caractère de la matière interrogée (le bois) pour prendre l'aspect d'images d'une précision inespérée, de nature probablement à déceler la cause première de l'obsession ou à produire un simulacre de cette cause. » Par le même moyen, il interrogea des matières diverses, telles que des « feuilles et leurs nervures, les bords effilochés d'une toile de sac » et intitula *Histoire naturelle* les tableaux qui en résultèrent. Il appliqua aussi cette technique à la peinture, par le « grattage de couleurs sur un fond préparé en couleurs et posé sur une surface inégale ».

L'artiste, semblable à la voyante qui interprète le marc de café, essaye de se déchiffrer lui-même grâce aux symboles par lesquels s'exprime son inconscient, qui sont toujours les mêmes pour une personne donnée. Leur choix selon André Breton « trahit l'homme », tout comme les rêves et les lapsus, et c'est à cette trahison que s'intéresse le Surréalisme, l'art se rapprochant alors de la psychanalyse.

Il s'agit de ne plus voir le monde extérieur tel qu'il apparaît à tous, mais de se lire à travers lui. Ce retour sur soi-même sera facilité par la fixation de l'attention sur un seul point extérieur, qui, en arrêtant le cours des préoccupations habituelles, libère l'activité inconsciente. C'est ainsi que sans aller jusqu'à l'hypnotisme « certaines images isolées que nous présente la peinture sont capables de fixer la conscience claire, au point de la faire coïncider avec elles et d'arrêter ainsi le flux de paroles et de fantômes, l'immense *fuite* qui la constitue normalement, remarque Paul Nougé.

Mais l'on n'oppose pas vraiment une résistance à l'esprit. L'immobilité, pour lui, se confond avec la mort. L'énorme fleuve obscur qui roule inlassablement au fond de nous-mêmes, rompt toute digue et déborde soudain en pleine lumière.

Il contraint l'homme à voir, à penser, à sentir ce qu'il se croyait à tout jamais incapable d'éprouver ou de vouloir. Ainsi s'expliquerait la seule puissance de la peinture qui ne soit pas indigne. On peut parler ici d' « illumination » et de « révélation ».

De la connaissance de soi, l'art nous fait passer à celle de l'univers. C'est pourquoi Salvador Dali met « tout en œuvre pour nous mener dans un autre monde ». Il jette le discrédit sur la réalité quotidienne, il imitera « même les imprévisibles manœuvres des rêves pour renverser toutes les lois naturelles, dont la vision de tout repos ne peut qu'entretenir la redoutable léthargie native du spectateur. Il évitera avec soin de mettre en présence dans ses tableaux, les objets qu'il est normal de voir rapprochés, mais il s'appliquera à créer les rencontres les plus stupéfiantes, les plus *délirantes* ».

Dans son œuvre antérieure à la dernière guerre mondiale s'épanouit cette tendance du Surréalisme à rejoindre le concret pour résoudre l'antinomie du rêve et de la réalité. Il traduit l'irrationnel, non par des figures ou des constructions échappant à toute dénomination, mais par des représentations d'objets réels, dont il ira jusqu'à faire de véritables chromos. Ainsi l' « objet cru, avec ses luisances malsaines, ses détails intimes, débarrassé de tout voile pictural, peut entretenir avec son voisin un dialogue aux résonances infinies ». D'après André Lhote : « Ce sont ces dialogues que peint Dali dont les œuvres sont comme des instantanés de rêves réalisés avec une sûreté, une cruauté, une nervosité indépassables. L'homme est forcé, ou de fuir, ou de collaborer à cette cérémonie magique qui l'arrachera pour un temps à l'ignominie de son existence vertueuse et pratique. » Désorienté, l'esprit se libère d'idées préconçues comme celles de morale et de pudeur.

La puissance bouleversante de ces toiles est encore plus grande que celle des tableaux seulement chimériques des rêves, parce qu'elles s'attaquent directement au monde réel dont elles font retourner les éléments reconnaissables au chaos. Cet art hallucinatoire, supérieur à la poésie par la précision de ses images, fait naître des « êtres absolument nouveaux, visiblement mal intentionnés ».

*_**

Cette propension à intriquer subjectif et objectif est conforme à l'évolution du Surréalisme qui cherche à enrichir cette réalité dont il s'était d'abord détourné. Une peinture surtout subjective comme celle de Miro, de Tanguy ne correspond qu'à son premier aspect, essentiel certes, mais incomplet. Les Surréalistes adoptèrent donc le procédé cubiste du « collage », afin de se rapprocher encore davantage de cette unité poursuivie. Grâce à l'emploi de figures toutes faites « à chaque seconde, écrit Max Morise, il était permis au peintre de prendre un cliché cinématographique de sa pensée ». Par ce nouveau langage il peut aussi vite que le poète exprimer son dynamisme intérieur.

C'est donc le cinéma qui aurait dû offrir le maximum de possibilités aux Surréalistes. D'abord, parce qu'il se déroule dans le temps, reproduisant ainsi le cours de la pensée ; ensuite parce qu'il est constitué de photographies objectives qui grâce au collage permettent au merveilleux de s'intégrer au réel, en lui restituant sa profondeur. Il y eut malheureusement peu de films surréalistes.

Dans *L'âge d'or* réalisé par Buñuel et Dali en 1930, nous assistons à un défilé hallucinant d'images. Max Ernst en énumère quelques-unes : « la vache dans le lit, l'évêque et la girafe jetés par la fenêtre, le tombereau traversant le salon du gouverneur, le ministre de l'Intérieur collé au plafond après son suicide ». Comme dans *Le chien andalou* autre film surréaliste, le réel quotidien est bouleversé par l'expression des tendances refoulées de l'individu. Alors se superposent les images de ce monde du désir et de l'amour et celles d'une vie étriquée et monotone.

Mais de tels films s'adressent à un public fort restreint. Les Surréalistes se contentèrent donc de traduire leurs rêves par l'emploi de photographies et de gravures, symboles tout préparés de cette « peinture sans crayons ni couleurs ». De leur assemblage résulte un tableau de la même façon que de la juxtaposition de titres de journaux jaillit pour eux un poème. Selon Max Ernst, la plus noble conquête ici serait *l'irrationnel* et dans ses collages « il s'efforce d'établir entre les êtres et les choses considérées comme données, *à la faveur de l'image* d'autres rapports que ceux qui s'établissent communément et du reste provisoirement... ».

Et c'est aussi pour suggérer la Surréalité que Man Ray, par de nouvelles techniques photographiques, est arrivé à opérer une véritable transmutation de ses clichés.

Ainsi des photographies, fidèles reproductions d'objets d'ordinaire, par leur ordre imprévu ou leur transformation rejettent l'esprit vers la subjectivité. Comme dans la méthode paranoïaque-critique de Salvador Dali les données du monde sont considérées par rapport au sujet, non pour des fins pratiques, mais pour la seule projection de ses visions intérieures. Les objets de l'expérience, reproduits par des photographies ou incorporés à des tableaux, ne sont pas représentés pour eux-mêmes mais deviennent comme des jouets entre les mains du peintre surréaliste au service de son inconscient. Non seulement il extériorise ses rêves, mais en les faisant participer à une réalité qui semblait banale il lui redonne son mystère. « Le "ce n'est pas de la peinture" du public prouve à lui seul la colossale réalité du papier collé, la Surréalité du collage. »

Cette tendance se rencontrait déjà chez Picasso qui versait du sable ou collait du papier sur ses tableaux. L'art doit être si peu assujetti aux moyens d'expression, que Picabia considère que la beauté peut naître de la réunion des matériaux les plus inattendus, pourvu que la main qui les assemble soit celle d'un artiste. Pour le prouver à un interlocuteur sceptique il fit un tableau représentant une villa du Midi où des confetti en guise de fleurs parsèment une pelouse sur laquelle s'élancent des arbres dont le tronc est constitué de macaronis, et les feuilles de plumes. Les marches de l'escalier sont faites de chalumeaux disposés verticalement. Ainsi l'essentiel est l'inspiration non la technique, et l'artiste authentique peut avec n'importe quels moyens traduire son inspiration.

Comme l'a écrit Tristan Tzara, « la différence des matières que l'œil est capable de transposer en sensation tactile, donne une nouvelle profondeur au tableau où le poids s'inscrit avec une précision mathématique dans le symbole du volume et de la densité ; son goût sur la langue, sa consistance nous mettent devant une réalité unique dans un monde créé par la force de l'esprit et du rêve ».

L'artiste rejoint le métaphysicien dans ses tentatives pour libérer la vision, pour joindre l'imagination à la nature, pour considérer tout ce qui est possible comme réel, pour nous montrer qu'il n'y a pas de dualisme entre surréalité et réalité, envers et endroit d'un Absolu qui les englobe.

III. – **Architecture**

Cette conception de l'art eut une grande influence sur la décoration, sur la sculpture avec Alberto Giacometti et Hans Arp dont les bois découpés évoquent des « silhouettes d'un autre monde ». En architecture, les prédilections des Surréalistes allèrent vers le *Modern'Style,* dont les lignes ondulées, les enchevêtrements de formes rappellent la sinuosité des figures oniriques.

André Breton rapproche ce style des œuvres exécutées par des médiums ou sous l'influence du seul automatisme. Ainsi un simple facteur nommé Cheval, dans une ignorance totale des principes de l'architecture, n'en édifia pas moins un « Palais idéal » que l'on peut voir à Hauterives dans la Drôme et qui, en 1968, a même été classé « monument historique ». À chacune de ses tournées postales, il y apportait une pierre qu'il plaçait à sa fantaisie, et il arriva ainsi à élever une demeure aux lignes compliquées et tourmentées rappelant les temples bouddhiques.

De telles constructions marquent le « triomphe de l'équivoque..., du complexe », par l'emprunt « de sujets au monde végétal et à l'art ancien asiatique ou américain ». Selon Salvador Dali, aucun « effort collectif n'est arrivé à créer un monde de rêves aussi pur et aussi troublant que ces bâtiments *modern'style,* lesquels, en marge de l'architecture, constituent, à eux seuls, de vraies réalisations de désirs solidifiés, où le plus violent et cruel automatisme trahit douloureusement la haine de la réalité et le besoin de refuge dans un monde idéal, à la manière de ce qui se passe dans une névrose d'enfance ».

Ce style qui est une expression de l' « irrationalité concrète » s'est développé, malgré tout, entre les deux guerres. Une salle aux murs « irrationnellement ondulés » avait en effet été prévue pour le Pavillon suisse de la cité universitaire bien qu'il réponde « extérieurement à toutes les conditions de rationalité et de sécheresse ». André Breton lui oppose d'ailleurs : « la magnifique église tout en légumes et en crustacés de Barcelone ».

À la fin du xixe siècle, l'édification de ce *Temple de la Sainte Famille* fut confiée à l'architecte Gaudi qui y consacra alors toute son existence. Le *Temple* est de style néo-gothique et l'ornementation est constituée de sculptures religieuses symboliques et aussi de formes qui semblent mouvantes et qui évoquent la nature : plantes, animaux, hommes...

On retrouve aussi, selon André Lhote, cette hantise du paraphe du coup de fouet, des lacets et des labyrinthes dans l'art de « Picasso, Braque, Lipchitz, Masson, Dali, aux yeux de qui l'entrée du métro évoque par ses formes échevelées les révélations et les éblouissements de leur jeune âge ».

En architecture comme dans les autres arts, il s'agit toujours d'exprimer les sinuosités de la pensée, par opposition aux lois et à toute trace de sécheresse logique.

IV. – **Théâtre**

Aucun domaine de l'art n'est étranger aux Surréalistes dont on retrouve l'esprit à la source de toute manifestation originale, d'autant plus – signe de la crise psychique actuelle – qu'on s'intéresse de plus en plus aux spectacles qui montrent la vie sous son aspect inhabituel. Albert Thibaudet a même pu écrire qu' « on va au théâtre comme on va chez le chirurgien ou le dentiste », tant est grande son emprise sur les spectateurs.

Alfred Jarry eut une grande influence sur le théâtre moderne. En montrant le peu d'importance de la réalité, il ouvrait la voie à l'anarchie, à l'individualisme enivré d'une liberté qui allait lui permettre d'exprimer toutes ses fantaisies. *Ubu roi* souleva un succès de scandale, mais n'était-ce pas un signe des temps, comme l'a remarqué Marcel Schwob, que le « public invité à voir "son double-ignoble" préféra dégager de la pièce une morale des abus » ?

Pour mieux en faire ressortir le caractère destructeur, Jarry lui fit succéder un *Ubu enchaîné,* critique de l'individu réduit en esclavage par la collectivité. Ses exploits se déroulèrent au milieu de décors de Max Ernst, composés de photogravures dans le style de ses collages et qui contribuèrent encore à accroître le désarroi déjà provoqué par l'humour.

Cette tendance, qui consiste à représenter la réalité de façon à en faire ressortir les ridicules, se retrouve chez Apollinaire. Dans son drame : *Les mamelles de Tirésias,* les scènes les plus inattendues s'y succèdent, où les personnages semblent dire et faire tout ce que leur dicte leur imagination.

De telles œuvres sont peu appréciées du public qui préfère le mystère et n'aime guère à se voir sous son véritable visage. Alors que les auteurs qui embellissent les actes de notre existence ou en dissimulent les vrais motifs obtiennent des succès faciles, le « phonographe », personnage assez inattendu et cocasse des *Mariés de la tour Eiffel,* irrite les spectateurs qui se refusent à reconnaître leurs contemporains dans les gestes et les paroles des invités de la noce. Pourtant, Jean Cocteau a fait preuve d'une grande hardiesse à regarder ainsi les choses en face, car, comme l'a montré Pirandello, l'homme tient si fort à ses illusions, que lorsqu'on les lui montre comme telles, il semble perdre aussitôt ses raisons de vivre et s'effondre jusqu'à la quasi-névrose.

Beaucoup de spectateurs naturellement ne se donnent pas la peine de voir plus loin que la grimace du clown, car il en est du théâtre comme de la musique et des autres domaines de l'esprit où l'originalité suscite toujours le scandale. « Sifflets et ovations. Presse injurieuse. Quelques articles surprises. Trois ans après les détracteurs applaudissent et ne se souviennent plus d'avoir sifflé. C'est l'histoire de *Parade* et de toutes les œuvres qui changent les règles du jeu. »

En accord avec ces ruptures de traditions, les ballets russes ont en effet introduit des rythmes nouveaux, conformes à l'esprit de provocation de ce début de XXe siècle. Serge de Diaghilew contribua à répandre ces tendances. Après *Le sacre,* le ballet *parade* représenté en 1917, fut son cri de guerre. Brûlant les étapes, il passa du stade de la vie primitive, à celui de la vie automatique, évoqué sur la musique d'Erik Satie et dans un décor de Picasso. Serge de Diaghilew fit en effet appel, non seulement aux musiciens, mais aussi aux peintres d'avant-garde. Des cubistes comme Braque, Derain, Juan Gris et des Surréalistes comme Chirico, Miro, firent des décors éblouissants pour ses ballets dont les costumes des danseurs complétaient la féerie des couleurs.

On peut les revoir dans la maison d'Erik Satie qui a été reconstituée à Honfleur.

**

Les ballets russes, en réalisant l'union de la danse, de la musique et de la peinture ramènent le spectateur vers les subtiles correspondances de ses rêves. Aussi, des Surréalistes comme Pierre-Albert Birot et surtout Antonin Artaud considèrent que la réforme du théâtre doit porter sur la mise en scène. Vers 1918, Pierre-Albert Birot écrivit une sorte de polydrame : *Le Bondieu* qui devait être joué par une multitude de personnages évoluant sur deux scènes superposées. Sur l'une d'elles, les acteurs revêtus de costumes symboliques devaient porter des masques. Ainsi celui de l'un des héros, « Sovkipeu » devait être constitué d'une espèce de cercueil en bois noir, où, à la hauteur de la tête, devait se trouver un guichet qu'il pouvait ouvrir ou fermer. Les acteurs du chœur devaient être vêtus d'une seule tunique avec des encolures pour chacune de leurs têtes, seuls ceux des extrémités avaient droit à une manche. Par contraste, les acteurs de la seconde scène devaient être en tenue de ville.

L'ampleur donnée à la mise en scène a une portée beaucoup plus profonde que celle d'un simple spectacle. Elle ne tend à rien moins qu'à mener le spectateur vers l'absolu. Ainsi dans le théâtre oriental « cet amas compact de gestes, de signes, d'attitudes, de sonorités, qui constitue le langage de la réalisation et de la scène, ce langage qui développe toutes ses conséquences physiques et poétiques sur tous les plans de la conscience et dans tous les sens, entraîne nécessairement la pensée à prendre des attitudes profondes qui sont de la *métaphysique en activité* ». Pour Antonin Artaud, en effet, le véritable objet du théâtre est : « Traduire la vie sous un aspect universel, immense, et extraire de cette vie des images où nous aimerions à nous retrouver. » Il doit être « considéré comme le Double, non pas de cette réalité quotidienne et directe dont il s'est peu à peu réduit à n'être que l'inerte copie, aussi vaine qu'édulcorée, mais d'une autre réalité dangereuse et typique, où les Principes, comme les dauphins, quand ils ont montré leur tête, s'empressent de rentrer dans l'obscurité des eaux. Or, cette réalité n'est pas humaine, mais inhumaine, et l'homme avec ses mœurs ou avec son caractère y compte, il faut le dire, pour fort peu ».

Antonin Artaud adresse au théâtre occidental les mêmes critiques qu'André Breton, aux romans prétendument psychologiques, dont les descriptions de sentiments n'offrent aucun intérêt, car là n'est pas la vie véritable. Le théâtre doit ramener le spectateur dans le monde des rêves, des instincts qui est « sanguinaire et inhumain ». Il s'agit de frapper les sens, car ils sont inséparables de l'entendement. « Je propose, écrit-il, d'en revenir au théâtre à cette idée élémentaire magique, reprise par la psychanalyse moderne, qui consiste pour obtenir la guérison d'un malade à lui faire prendre l'attitude extérieure de l'état auquel on voudrait le ramener. » Une œuvre exprimant les forces refoulées de l'homme, l'en libère ; de la même façon, la mise en scène, en charmant les spectateurs par des moyens plastiques devra, pour ainsi dire, les faire entrer en transe. « Seul l'Orient peut nous fournir du théâtre une idée physique et non verbale, où le théâtre est contenu dans les limites de tout ce qui peut se passer sur une scène, indépendamment du texte écrit, au lieu que le théâtre tel que nous le concevons en Occident a partie liée avec le texte et se trouve limité par lui. » Pour les Occidentaux, le théâtre fait partie de la littérature, alors que le spectacle balinais, par exemple, s'adresse à l'être entier et que les mots y deviennent des incantations. « Il rompt enfin l'assujettissement intellectuel au langage, en lui donnant le sens d'une intellectualité nouvelle et plus profonde qui se cache sous les gestes et sous les signes élevés à la dignité d'exorcismes particuliers. »

Antonin Artaud édifie une technique complète de la représentation dramatique. « Le spectateur est au milieu tandis que le spectacle l'entoure », afin d'être englobé dans la même atmosphère que les acteurs. Les sons, les bruits, les cris seront employés selon leurs qualités vibratoires. On utilisera des jeux de lumières, selon l'action des différentes couleurs sur l'organisme. Les objets seront des mannequins, d'énormes masques faisant ressortir les images sous leur aspect concret. L'action devra être violente car « tout ce qui agit est une cruauté », le théâtre devant exprimer la vie, semblable à un torrent qui emporte tout sur son passage.

« La violence et le sang ayant été mis au service de la violence de la pensée », le spectateur purifié de ses instincts de meurtre et de pillage est incapable « de se livrer au-dehors à des idées de guerre, d'émeute et d'assassinat hasardeux ». Le théâtre représente donc une « force exceptionnelle de dérivation » particulièrement nécessaire, selon Antonin Artaud, à l'époque de démoralisation dans laquelle nous vivons. Un tel spectacle est loin de l'analyse psychologique des passions car il doit s'égaler « à une sorte de vie libérée qui balaye l'individualité humaine et où l'homme n'est plus qu'un reflet ».

Ainsi, pour les Occidentaux, l'art est complètement séparé de la vie, alors que sa mission serait d'en expliciter l'infinie richesse, mais l' « infirmité spirituelle de l'Occident qui est le lieu par excellence où l'on a pu confondre l'art avec l'esthétisme, est de penser qu'il pourrait y avoir une peinture qui ne servirait qu'à peindre, une danse qui ne serait que plastique, comme si l'on avait voulu couper les formes de l'art, trancher leurs liens d'avec toutes les attitudes des mystiques qu'elles peuvent prendre en se confrontant avec l'absolu ».

Les Surréalistes en faisant de l'art le langage de l'ineffable n'ont fait qu'exprimer son véritable but. L'artiste est toujours un inspiré qui nous révèle, même lorsqu'il part de la nature, un nouvel aspect du monde. Aussi André Breton a-t-il pu dresser une liste d'écrivains qui commence par Young, Swift, passe par Poe, Baudelaire, Rimbaud et se termine par Pierre Reverdy, Saint-John Perse et Raymond Roussel, qui ont tous été Surréalistes par certains côtés. Seul un « certain nombre d'idées préconçues, auxquelles ils tenaient » les empêche d'entendre constamment « *la voix surréaliste,* celle qui continue à prêcher à la veille de la mort et au-dessus des orages ».

Cette recherche désintéressée d'une autre réalité constitutive de l'art est plus ou moins dissimulée sous des apparences rationnelles, et lorsqu'elle prend conscience d'elle-même, elle se développe dans toute son ampleur. Et les poètes ne se soucient plus de révéler leurs intuitions sous une forme perméable à tous. Déchirés par cette inquiétude due aux limites de la condition humaine, ils ne cherchent qu'à se laisser pénétrer par des visions qui les entraînent loin du réel.

Le romantisme allemand a été un effort passionné pour arracher son secret à l'univers. Ses poètes découvrent que leur vie intérieure n'est que le reflet du cosmos, et à travers elle ils essayent de se fondre en lui. Alors que les romantiques français en étaient restés au stade du pur subjectivisme, eux veulent identifier subjectif et objectif en une suprême unité.

Le moi finit par disparaître devant cet Infini dont il n'est que l'émanation. Selon André Breton « toute l'histoire de la pensée depuis Arnim est celle des libertés prises avec cette idée du "Je suis" qui commence à se perdre en lui ». Il en donne pour exemple la profession de foi philosophique de Rimbaud : « C'est faux de dire : Je pense. On devrait dire : On me pense... Je est un autre. »

L'art est une véritable expérience qui par-delà l'entendement cherche à atteindre à une certitude métaphysique. Comme l'a écrit Novalis « la poésie est le réel absolu ». Considérer le monde des réalités visibles comme le symbole d'un monde invisible, s'efforcer de s'égaler à un monde glacé d'idées comme s'enfoncer dans ses propres abîmes ne sont que des moyens différents pour atteindre l'inconnaissable.

Chapitre III

LA SYNTHÈSE SURRÉALISTE

I. – L'aspect méta-moral

« S'il n'existait point d'esprit prophétique ou poétique, l'esprit philosophique et expérimental serait vite à la résultante de toutes choses et demeurerait immobile, incapable de faire quoi que ce soit excepté tourner toujours dans le même cercle monotone. » Cette remarque de William Blake que cite Paul Éluard s'applique particulièrement aux chercheurs passionnés de la vérité. La révélation ne leur est donnée que parce qu'ils se sont élevés au-dessus de leur horizon limité.

Les êtres qui s'évadent des normes de la société pour essayer d'atteindre l'ineffable ressentent cet appel qui, selon Bergson, n'est que la prise de conscience de l' « élan vital » qui porte l' « âme ouverte » à sortir de ses limites. Aussi artistes et héros, cherchent-ils à descendre en eux pour communiquer avec cette vie totale qu'ils pressentent. « C'est vivre et cesser de vivre qui sont des solutions imaginaires, l'existence est ailleurs », affirme André Breton.

Poètes et mystiques commencent donc par mourir au monde. Ils s'abandonnent à l'inspiration et se laissent glisser dans les ténèbres au-delà desquelles la lumière de la révélation les éblouira. C'est bien à travers les ombres du sommeil que Gérard de Nerval espéra s'identifier à la véritable réalité et c'est bien à une « ténébreuse unité » qu'aspira Baudelaire.

Au début de leurs recherches, les Surréalistes se sont considérés comme les réceptacles, les échos de ce que

« certains ont été tentés de prendre pour la conscience universelle ». Tourmentés par la soif d'Absolu que ne comble plus la religion, « ils restent pleins de l'immense vœu de Rimbaud, comme lui ils attendent la visite sans nom... remarque Jacques Rivière. En fait, en même temps qu'à "s'informer" au sens philosophique du mot, ils travaillent toujours, avec plus de zèle et d'acharnement même que leurs aînés, à provoquer des présences inconnues parmi nous, à capter les larves qui rôdent à tous les confins de l'esprit ».

On semble très loin de la littérature et de l'art : il ne s'agit plus d'exprimer, même en la transfigurant, la réalité, mais de la dépasser, d'atteindre un monde invisible aux yeux de la chair. « Nous appellerons alors poésie, un ensemble de phénomènes, dont certains cerveaux sont les sujets à la façon dont un médium peut subir les aventures surnaturelles. La notation de ces phénomènes doit pouvoir être assimilable en tous points au procès-verbal des séances spirites. » Aussi poursuit Jacques Rivière, l'insistance des Surréalistes « à nous recommander les œuvres d'écrivains non professionnels, d'inconscients ou d'idiots, chez qui quelque hasard a pu se produire » est significative de « leur seule religion de l'événement mystique, de leur continuelle attente d'une Pentecôte poétique ».

Les associations verbales les plus inattendues, les premiers tableaux de Chirico, les photographies de Man Ray « où un compas, un crayon, une équerre se mettent à valser ensemble jusqu'à ce qu'une lumière de fable descende sur leur tourbillon et les transfigure, c'est un moyen seulement qui échappe à toute appréciation esthétique de faire dévier l'esprit vers quelque *noumène* ».

En ce sens, le Surréalisme s'oppose aussi bien au subjectivisme du romantisme, qu'à celui de l'impressionnisme, le moi devenant un simple lieu de passage. Ses techniques ne sont que des moyens pour favoriser l'effacement de la personnalité au profit d'une conscience cosmique. Le procédé du « Cadavre exquis », par les réactions qu'il provoque entre les esprits, les affranchit de leurs limites. Des poèmes comme *Ralentir travaux* d'André Breton, Paul Éluard, et René Char illustrent alors l'axiome de Lautréamont : « La poésie doit être faite par tous », la feuille de papier blanc n'étant que le « lieu de rencontre de multiples consciences, aspects d'une conscience unique ». Ainsi « le propre du Surréalisme est d'avoir proclamé l'égalité totale de tous les êtres humains devant le message subliminal, d'avoir constamment soutenu que ce message constitue un patrimoine commun dont il ne tient qu'à chacun de nous de revendiquer sa part et qui doit à tout prix cesser très prochainement d'être tenu pour l'apanage de quelques-uns ».

Chaque œuvre surréaliste a donc une portée qui la dépasse infiniment, mais qui heurte la partie raisonnable, mais fatalement étriquée de notre esprit. Cet univers pour certains prend même un tel relief que l'autre auprès n'est plus qu'un écran en voie de disparition. La pratique de l'automatisme, l'abandon à la spontanéité en amenant l'individu à perdre la notion de son moi limité, rapproche alors le Surréalisme de la pensée orientale. Celle-ci vise en effet à tuer l'*ego,* à le délivrer de tout sentiment égoïste pour l'amener à se fondre dans la Réalité suprême. André Breton est « de cœur » avec Keyserling lorsqu'il définit cette métaphysique : « Elle ne parle jamais que de l'être un, où Dieu, l'âme et le monde se rejoignent, de l'un qui est l'essence la plus profonde de toute multiplicité. Elle aussi n'est qu'intensité pure, elle ne vise que la vie même, cet *in-objectif* d'où jaillissent les objets comme des incidents. »

Exprimant l'absolu, le Surréaliste a le sentiment d'une mission à accomplir. « Tout ce que nous savons, écrit encore André Breton, c'est que nous sommes doués à un certain degré de la parole et que par elle, quelque chose de grand et d'obscur tend à s'exprimer à travers nous, que chacun de nous a été choisi et désigné à lui-même entre mille pour formuler ce qui, de notre vivant, doit être formulé. C'est un ordre que nous avons reçu une fois pour toutes et que nous n'avons jamais eu loisir de discuter. »

*
* *

Toutes les voies, celles de la chair comme celles du renoncement, peuvent mener à cet Unique, au-delà du bien et du mal. Au carrefour des chemins, vers Dieu ou vers Satan, les uns s'engagent dans la « voie étroite », tandis que les autres s'enfoncent dans la « zone interdite » ; mais quelle que soit la route suivie, et la nature spirituelle ou matérielle attribuée à l'Unité, c'est toujours le même élan qui les entraîne.

Pour les Surréalistes qui ont formé le groupe du *Grand Jeu,* « un homme peut selon une certaine méthode dite mystique atteindre à la perception immédiate d'un autre univers incommensurable à ses sens et irréductible à son entendement ; la connaissance de cet univers marque une étape intermédiaire entre la conscience individuelle et l'autre. Elle appartient en commun à tous ceux qui, à une époque de leur vie, ont voulu désespérément dépasser les possibilités inhérentes à leur espèce et ont esquissé le départ mortel ». C'est en ce sens que Marcel Raymond considère que « de toutes les philosophies la pensée ésotérique, transmise et enrichie par une tradition multiséculaire, paraît être celle dont l'accord avec le Surréalisme présente le moins de difficulté. Le pressentiment d'un autre univers, surréel, qui absorberait peut-être en lui l'interne et l'externe, le subjectif et l'objectif, et dont il serait possible d'accueillir les messages en "mourant au sensible"... semble être la conséquence la plus normale du refus des Surréalistes et de leur mysticisme latent ».

Mais combien l'aventure est plus tentante pour des révoltés, de chercher aux enfers, un apaisement à leur soif d'Infini. Car les blasphèmes des prétendus athées n'expriment au fond, non pas tellement la négation de Dieu que leur insatisfaction devant l'idée trop humaine que s'en font leurs contemporains. Loin d'être indifférent à l'égard de la religion, ce n'est qu'en profanant ses symboles que le marquis de Sade peut se « convaincre de son athéisme apparent », remarque Pierre Klossovsky. Et c'est encore par hostilité à la morale populaire que Baudelaire a célébré la beauté du mal et que Rimbaud, aspirant à un idéal de pureté, l'a scandalisée de ses blasphèmes. *Les chants de Maldoror* du comte de Lautréamont sont issus de cette même haine qui lui fait braver le Créateur. Et c'est elle encore qui pousse les Surréalistes à descendre, par l'intermédiaire des activités profondes, vers le « monde des vraies réalités, des Surréalités qui, contrairement à l'hypothèse platonicienne, ne sont pas des idées et encore moins comme chez Descartes des idées claires, mais au contraire ce qu'il y a de moins intellectuel au monde ». N'est-ce pas « en inspectant le sens de la chair » que Antonin Artaud espère arriver à une métaphysique de l'être, à la connaissance définitive de la vie ? Et Pierre-Jean Jouve ne peut se détacher de « la face du monde de la Faute ». S'abîmer dans le péché, s'abandonner à la *libido,* véritable « Dieu à l'envers », sera une route vers la libération, vers le *Paradis perdu.*

L'existence d'une autre réalité, qu'on la situe dans le monde des idées ou dans celui des instincts, se prouve par une même démarche de l'esprit, et l'argument de la réminiscence peut s'appliquer à l'un ou l'autre de ces univers entrevus. « Il m'est arrivé, constate André Breton, d'employer surréellement des mots dont j'avais oublié le sens. J'ai pu vérifier après coup que l'usage que j'en avais fait répondait exactement à leur définition. Cela donnerait à croire qu'on n'apprend pas, qu'on ne fait jamais que *réapprendre.* »

De la duplicité de sa nature à mi-chemin entre la spiritualité et l'animalité résultent donc les deux voies sur lesquelles peut s'engager l'homme en quête d'absolu. S'il n'est pas sauvé par la grâce, alors « il sera dans un état de révolte désespérée, dans un paradoxe perpétuel ; il veut désespérément être soi non pas comme le faible s'échapper de lui, mais être si pleinement soi, qu'il fait de soi un horrible dieu. Dans la fureur du démoniaque l'homme veut, par la haine de l'existence, être soi-même dans toute son horreur et protester par ce tourment contre tout l'être ».

Kierkegaard explique en effet fort bien l'angoisse de la conscience qui, en s'enfonçant dans sa subjectivité, se heurte à la transcendance de cet « autre » qui réside en elle, car comme le remarque Jean Wahl « la passion qui nous fait toucher le fond de l'intériorité nous met en contact avec un être extérieur ». Aussi l'homme se sent-il saisi par une sorte de vertige dans l'ignorance qu'il est de la nature de cet « autre » et tant qu'il redoute à l'inverse des mystiques de s'abîmer en lui il reste prisonnier de lui-même. C'est ainsi que Robert Desnos s'écrie : « Je ne crois pas en Dieu, mais j'ai le sens de l'Infini. Nul n'a l'esprit plus religieux que moi. Je me heurte sans cesse à des questions insolubles. Les questions que j'ai à résoudre sont toutes insolubles. »

Ces artistes dont la vie a été constamment déchirée par ces deux sentiments « de la subjectivité et de la transcendance » nous font beaucoup mieux sentir la profondeur de l'être qu'un exposé purement didactique. Si, édifier une théorie est la marque d'un esprit philosophique, la vivre intensément permet d'atteindre plus pleinement les racines mêmes de l'existence. L'originalité du Surréalisme est donc de dépasser à la fois le plan de l'esthétique et celui d'une philosophie uniquement spéculative. À ce point de vue encore, il s'oriente vers la pensée des grands Sages de l'Inde qui enseignent qu'on ne peut comprendre vraiment que nos réalisations.

Nombreux furent cependant les êtres qui se brisèrent devant cette barrière qui les séparait de la suprême extase et sombrèrent dans la folie ou s'évadèrent définitivement de ce monde. Car même s'il réussit à se transcender, le poète peut être rejeté vers un nouveau désespoir, lorsqu'il se sent impuissant à traduire l'ineffable. L'ambition métaphysique de la poésie l'a donc conduite à une impasse. « Elle qui est toute création et qui en dehors de l'expression n'est rien, elle est obligée pour exprimer un absolu de renoncer à toute expression. N'est-ce pas contradictoire ? » Et c'est peut-être parce qu'il ne put surmonter cette antinomie que : Arthur Rimbaud se retrancha dans le mutisme et que Germain Nouveau, dont se réclament aussi les Surréalistes, s'éleva jusqu'à l'ascétisme.

Si l'*Expérience poétique* peut s'exalter jusqu'au mysticisme il n'en reste pas moins que le mystique tend au silence alors que le « poète s'achemine vers la parole ». S'il peut arriver à exprimer ses visions il retrouve son équilibre intérieur, mais s'il a le sentiment que son langage les trahit, il est déchiré par ce conflit qu'Antonin Artaud met à nu dans sa *Correspondance avec Jacques Rivière*. « Je souffre, lui écrit-il, d'une effroyable maladie de l'esprit. Ma pensée m'abandonne à tous les degrés. Depuis le fait simple de la pensée jusqu'au fait extérieur de sa matérialisation dans les mots... Je suis au-dessous de moi-même, je le sais, j'en souffre, mais j'y consens dans la peur de ne pas mourir tout à fait. »

On sent que ses poésies expriment le plus profond de son être, qu'elles sont véritablement, intensément vécues. Pour beaucoup, la littérature n'est qu'un jeu intellectuel ; pour lui, elle se confond avec son aspiration à l'immuable. Il veut atteindre au plus intime de lui-même, échapper à la prison du corps, aux conditions spatio-temporelles, mais il ne parvient pas à se perdre dans l'Absolu, alors que de telles crises pourtant amèneraient un mystique à se fondre en Dieu.

Bref, le désespéré, envoûté par le démoniaque, n'obtient jamais une certitude comparable à celle du mystique, sans cesse soutenu par sa foi, dans son voyage intérieur. Ce n'est qu'à travers de multiples tâtonnements faits de reculs et de désespoirs, que le poète, peu à peu, arrive à être ébloui par les éclats d'une lumière indéfinissable, de là son impression d'être « voleur de feu ».

Les premières découvertes des Surréalistes sur l'activité de l'inconscient leur avaient donné l'espoir de pouvoir, par l'abandon à l'automatisme, parvenir à la racine même de l'être. « Pris au piège d'une expérience qu'ils ne pourront plus oublier, mais généralement opposés à toute forme religieuse et à l'idée même de Dieu (ils) n'ont voulu chercher que les sources de la poésie, mais en chargeant la poésie des devoirs de la sainteté, sans les moyens de la sainteté, qui sont essentiellement don de soi. Ils l'ont accablée sous ce poids d'abord, plus tard n'en ayant pas obtenu ce qu'ils en attendaient, ils l'ont sous-estimée. Et alors, remarquent Jacques et Raïssa Maritain, un nouveau désespoir les a jetés à d'autres aventures spirituelles. »

Des voies multiples mènent au divin, mais à condition de les suivre jusqu'à leur terme final : la fusion dans le Grand Tout. Or, si leur révolte initiale poussa les Surréalistes à s'interroger sur le sens de l'« au-delà », cependant ce sera par rapport à cette vie, le Surréel n'étant pas le surnaturel. Leur résistance à ce vertige dont Gérard de Nerval fut victime, leur fait critiquer le groupe du *Grand Jeu,* car ils refusent de se laisser entraîner par cette descente en soi, d'où souvent l'on ne remonte pas.

L'exploration des bas-fonds du psychisme, du sous-réel, entreprise d'abord par provocation contre la morale, doit ensuite permettre à l'homme de prendre conscience de ses possibilités. Il ne suffit pas, comme le croyait Robert Desnos, d'être l'instrument de son inconscient, mais il faut se préoccuper de donner une solution concrète aux problèmes de l'existence. La Surréalité ne sera plus seulement cherchée de l' « autre côté », mais elle devra s'intégrer aux données de la conscience, pour réaliser cette harmonie de l'être enfin réconcilié avec lui-même.

Si au début de leurs investigations, les Surréalistes se sont élancés à la conquête d'un Surréel situé en deçà de ce monde, l'angoisse qu'ils en ont éprouvée leur a montré les dangers de leurs premières tentatives. Ils se sont alors orientés vers Freud pour qui notre vie intérieure devient la clef d'événements bien terrestres qui paraissaient inexplicables.

Le Surréel n'est plus l'absolu, mais une notion corrélative au réel. La psychanalyse le fait descendre de la transcendance à l'immanence. Les Surréalistes s'efforcent alors de faire la synthèse de ces deux aspects contradictoires du monde. La Surréalité devient « le point de l'esprit d'où la vie et la mort, le réel et l'imaginaire, le passé et le futur, le communicable et l'incommunicable, le haut et le bas cessent d'être perçus contradictoirement ». Leur démarche fondamentale reste donc cette recherche de l'unité, mais loin de la situer dans une évasion supraterrestre, ils essayent de la réaliser dans les faits. Après s'être révoltés contre le réel, ils y reviennent, enrichis de leurs découvertes. Le marxisme est l'aboutissement de ce retour au concret, car il stimule leur espoir de réconcilier l'homme avec ces deux parties de lui-même : conscience et inconscience, dont la société actuelle ne fait qu'accentuer artificiellement l'antinomie.

On pourrait figurer cette évolution du Surréalisme, par un cône renversé dont la base serait la métaphysique, la pointe, le marxisme, la zone intermédiaire étant la psychanalyse.

II. – L'aspect psychanalytique

Freud, le créateur de la psychanalyse, venait de mettre l'homme en face de lui-même, dans une terrible nudité, avec ses bassesses et ses ignominies, et avait levé le masque de son image édulcorée et hypocrite. Il avait rejeté son vernis social et l'avait dépouillé de ses apparences de civilisation. Avec lui, le désir devenait le grand moteur secret de l'homme qu'il fallait désormais bien regarder en face, pour ne pas se leurrer soi-même, se griser de vaines théories ou se réfugier dans un scepticisme stérile.

André Breton, de son côté, n'est pas seulement poète, mais il veut édifier une doctrine de vie, être un conducteur d'hommes, pour réagir contre cette tendance au nihilisme, que n'a que trop souvent engendrée le retour sur soi-même. S'il faut d'abord s'évader du monde, c'est pour mieux le mettre ensuite à sa vraie place, et le faire bénéficier de ces aventures dans les terres inconnues du subconscient.

La psychanalyse, en dépouillant de leur caractère occulte ce domaine méconnu des forces vitales, ne pouvait que satisfaire la tendance positive du Surréalisme, son effort d'intégration de l'irrationnel au rationnel. Il revêtit donc un aspect psychologique et dans son *Premier Manifeste,* André Breton le définit ainsi : « Automatisme psychique pur, par lequel on se propose d'exprimer, soit verbalement, soit par écrit, soit de toute autre manière, le fonctionnement réel de la pensée. Dictée de la pensée, en l'absence de tout contrôle exercé par la raison, en dehors de toute préoccupation esthétique ou morale. » Il se présente comme une tentative scientifique, expérimentale d'exploration de l'inconscient, où réside la Surréalité. Un « Bureau de recherches surréalistes » sera institué en vue de récolter toutes « les communications relatives aux diverses formes qu'est susceptible de prendre l'activité inconsciente de l'esprit. Aucun domaine n'est spécifié *a priori* pour cette entreprise et le surréalisme se propose de rassembler le plus grand nombre possible de données expérimentales, à une fin qui ne peut encore apparaître ». On constitue ainsi des archives contenant les réponses aux différentes enquêtes faites par *La Révolution surréaliste* sur « tous ces états particuliers où l'esprit fonctionne à vide », pour lui-même, « dans un oubli total des conditions qui lui sont faites d'habitude par les conventions : ceux par exemple du rêve... ou de la folie... ou de l'amour », dans lesquels « l'Image pure se présente au cerveau ». Leur portée est très générale comme en témoigne l'une d'elles, extraite du douzième numéro de cette revue : « I. Nous vivons au milieu d'apparences. L'univers sensible n'est qu'une face et c'est à peine si nous soupçonnons les autres faces. À certains moments de la vie, par suite de maladies ou d'états moraux particuliers, notre conscience a une vision complètement *autre* des choses. Quelle est la valeur de cette autre perception ?

« II. On peut distinguer dans les possibilités qui nous sont données de sortir de notre personnalité normale, les *états physiques* : maladies nerveuses de la personnalité, des sens ou de la mémoire et leurs conséquences : rêves, somnambulisme, folie, visions et hallucinations, cryptesthésie (terme du P^r Ch. Richet se rapportant à la voyance), etc. Dans quel rapport, ces *fantômes* sont-ils avec les *choses* : plus réels, aussi réels, irréels ?

« III. Mais il y a aussi, à côté de cette "désorganisation du sensible" une "désorganisation du moral" – une autre réalité (quoique, bien entendu il n'y ait qu'une réalité) accessible par la voie de la passion et de l'inspiration. Dans quel rapport la réalité qui se manifeste à nous ainsi est-elle avec les constructions rationnelles de la conscience ? »

L'examen analytique des réponses permet de connaître l'inconscient et ses complexes qui, alors, non seulement cessent de tourmenter l'homme à son insu, mais le révèlent à lui-même, dans sa plénitude.

C'est Maine de Biran le premier qui avait attiré l'attention sur la profondeur de la vie psychique, en réagissant contre la psychologie associationniste. Mais ce sont surtout William James, Henri Bergson et Pierre Janet qui en ont analysé le dynamisme.

La conscience n'est que l'aspect superficiel d'une vie qui se déroule en profondeur, et selon la comparaison de Bergson nos idées toutes faites sont « comme des feuilles mortes sur l'eau d'un étang ». Mais c'est Freud qui a poussé encore plus loin cette découverte de la vie intérieure de l'être, et a révélé ce monde des instincts refoulés qui hantent l'individu. Le moi a des racines profondes, car derrière lui se trouve le *Soi* qui est proprement le psychique et qui est du domaine de l'inconscient. Un article de *La Révolution surréaliste* intitulé « La question de l'analyse par les non-médecins » fait ressortir leurs divergences. « Dans le "soi", pas de conflits : les contradictions, les contraires voient leurs termes voisiner sans en être troublés, des compromis viennent souvent accommoder les choses. » Alors que le « moi »... se distingue par une « remarquable tendance à l'unité, à la synthèse, ce caractère manque au "soi", celui-ci est, pour ainsi dire incohérent, décousu, chacune de ses aspirations y poursuit son but propre et sans égard aux autres ». C'est donc bien lui qui est à la source de ces chocs imprévus d'images caractéristiques de l'art surréaliste.

Le moi est à l'intersection des mondes extérieur et intérieur, en lesquels il se trouve « comme entre le marteau et l'enclume ». Les objets matériels, perçus par les sens, constituent l'univers externe, tandis que les faits psychiques qui se traduisent dans l'imagination sont des éléments aussi réels, sinon plus, de la vie subjective. « Qu'est-ce, encore une fois, que ce champ visuel tristement éclairé par des considérations physiques et hors duquel aucun élément d'un tableau n'a longtemps été pris..., se demande André Breton, à propos d'une exposition de peinture... Qu'est-ce que ce champ visuel auprès de l'autre, de celui dont le déroulement incessant ne souffre pas de la texture ou de la disposition d'un organe sensitif comme l'œil humain, stupide auprès de celui des caméléons... champ, dans lequel se distribue, selon les lois psychiques les plus impromulguées, ce qui fait la substance de la pensée de l'homme livré à ses génies et à ses démons personnels et caché et buissonnant et diversement velléitaire, à son insu, multiplement intentionnel, trompant malgré lui la bête sociale et hébergeant, tandis qu'il s'entretient seul ou non de l'heure qu'il est ou de l'être qu'il aime, dans des lieux, dans des temps tout à fait autres, de plain-pied, des hôtes ayant aussi peu l'habitude de se produire ensemble que Henriette d'Angleterre, l'ombre d'un prêle immense et le diabolo de la taille de guêpe ? »

Cette double vie de l'homme disperse ses énergies, alors qu'elles devraient s'unifier pour son plein épanouissement. Mais l'exploration de ces obscurs tréfonds de l'âme humaine ne va pas sans heurter de nombreuses idées préconçues. La vie intérieure est en effet revêtue du même caractère sacré que l'étaient les phénomènes du monde extérieur pour les primitifs. Une angoisse analogue saisit l'audacieux qui veut éclaircir leur mystère, comme autrefois l'astronome qui osa démontrer que les astres n'étaient pas des dieux. Bien entendu, une grande objectivité et un manque absolu de préjugés sont de mise pour obtenir la manifestation de cet « autre côté » de la conscience. C'est cependant lui qui surgit spontanément au cours de violentes émotions, et la psychanalyse, comme les diverses expériences surréalistes deviennent alors des moyens de le provoquer expérimentalement. Il faut cependant une grande hardiesse pour risquer l'aventure et peut-être que le poète surréaliste répond au souhait formulé par Jung lorsqu'il écrit : « Je peux m'imaginer que quelqu'un poussé par une pseudo-sainte curiosité use d'une telle technique, un adolescent, par exemple, qui voudrait avoir des ailes, et cela non parce qu'il est paralysé, mais parce qu'il a la nostalgie du soleil. »

***

Mais il est très difficile de s'arracher aux sollicitations du monde extérieur, pour se replier sur soi. La solitude est pénible, les hommes cherchent à ressembler le plus possible aux autres et se laissent accaparer par de multiples activités qui les entraînent hors d'eux-mêmes.

Selon Freud, l'éducation refoule en l'homme ses instincts fondamentaux. Il s'érige ainsi en lui une sorte de « censure » qui nivelle les individus, et leur permet de vivre sans heurts dans une même société. Tout leur dynamisme se réfugie alors dans l'inconscient de leurs désirs.

La censure est si forte que même, sur leur terrain d'activité, les instincts ne se manifestent pas dans toute leur crudité, mais se déguisent sous des symboles, afin d'échapper à son contrôle rigoureux. À peu près identiques en chaque individu, ils sont empruntés aux grands mythes de caractère cosmique. Le « Soi » étant le fond le plus primitif dans l'être, on retrouve en lui les catégories ancestrales. Selon Freud, « notre sentiment actuel du moi n'est qu'une partie rabougrie d'un sentiment vaste, universel même, conforme à une parenté plus intime entre le moi et le monde environnant ». La psychanalyse permet donc d'expliciter cette analogie entre le microcosme et le macrocosme qu'avaient déjà pressentie les poètes.

À l'état normal, l'inconscient se contente de manifestations auxquelles la plupart des êtres ne portent aucune attention ; mais si, au cours du développement de l'individu, les refoulements ont été trop violents, alors le « Soi » se venge, par une foule de névroses, qui proviennent de la perte de l'équilibre entre les mondes extérieur et intérieur.

Freud a eu le grand mérite de montrer que les troubles mentaux avaient une origine psychique, et qu'en rendant consciente la tendance insatisfaite, ou les circonstances dans lesquelles elle avait été refoulée, on obtenait la guérison. En général, il s'agit d'un incident qui s'est produit dans le plus lointain passé de l'individu. « Tout ce que l'humanité a depuis longtemps rejeté comme contraire à la culture, la joie de tuer, l'inceste, le viol, tous ces sombres égarements du temps des hordes, tout cela frémit encore une fois du désir de se réaliser dans l'enfance, cette période préhistorique de l'âme humaine. » Comme le souligne Stefan Zweig chaque individu renouvelle symboliquement dans son développement éthique toute l'histoire de la civilisation.

On retrouve ici, cette conception de la « Cruauté » à laquelle avait abouti intuitivement Antonin Artaud, et sur laquelle il s'était fondé pour rajeunir le théâtre. « J'emploie, écrit-il, le mot de cruauté dans le sens d'appétit de vie, de rigueur cosmique et de nécessité implacable, dans le sens gnostique du tourbillon de vie qui dévore les ténèbres, dans le sens de cette douleur hors de la nécessité inéluctable de laquelle la vie ne saurait s'exercer : le bien est voulu, il est le résultat d'un acte, le mal est permanent. »

La méthode psychanalytique consiste donc à libérer l'inconscient, afin de saisir la cause du déséquilibre produit par son irruption dans le conscient, malgré la censure. L'analyse des lapsus, des « actes manqués » donne les premières indications sur les véritables désirs de l'être. Mais l'interprétation des rêves reste un des grands moyens d'investigation. Nul domaine en effet ne peut être plus riche que celui du songe où aucun frein ne brime plus l'individu et dont les images sont les symboles de cette vie souterraine des instincts. Les Surréalistes essayent de les déchiffrer, en les considérant soit comme des effets d'événements antérieurs, soit comme les effets d'événements postérieurs et qui semblaient dus au hasard, car les rêves peuvent être prémonitoires.

Comme les récits de rêve, l'art est un des signes exprimant l'inconscient puisqu'il reflète le mystère de l'âme et du monde. Le fait que chaque artiste emploie toujours tel symbole plutôt que tel autre manifeste ce que André Breton appelle la « personnalité de choix », révélatrice de son moi profond. Aucun moyen d'interprétation du Surréel ne doit être négligé, car chacun révèle un de ses aspects. Le « langage de la révélation se parle, certains mots très hauts, certains mots très bas, de plusieurs côtés à la fois. Il faut se résigner à l'apprendre par bribes ».

Les Surréalistes reprennent une idée chère à Freud lorsqu'ils s'attachent à montrer que tout phénomène, quel qu'il soit, a une finalité, et que le hasard n'est qu'apparent puisqu'une analyse approfondie nous fait trouver un désir à l'origine d'un acte qui semblait résulter d'une coïncidence. Dans *Nadja, Les vases communicants, L'Amour fou,* André Breton donne de nombreux exemples d'actions expliquées par des rêves ou des actes passés. Il y a donc étroite interpénétration entre la nécessité naturelle qui règne dans le monde extérieur et la nécessité humaine, laquelle arrive souvent à réaliser les tendances profondes de l'individu. Dans le rêve, tout se déroule suivant ses désirs intimes, mais les données en sont imaginaires, alors que dans la vie, ce sont des matériaux réels qui sont triés en vue de la satisfaction des aspirations secrètes. Certaines situations de l'existence peuvent donc « appartenir *à la fois* à la série réelle et à une série idéale d'événements », d'où leur illogisme apparent. Elles constituent des postes d'observation qui montrent nettement que des faits inopinément surgis dans la vie ne sont que les expressions les plus contournées du désir. On voit alors combien son exigence « à la recherche de l'*objet* de sa réalisation dispose étrangement des données extérieures, en tendant égoïstement à ne retenir d'elles que ce qui peut servir sa cause. La vaine agitation de la rue est devenue à peine plus gênante que le froissement des draps. Le désir est là, taillant en pleine pièce dans l'étoffe pas assez vite changeante, puis laissant entre les morceaux courir son fil sûr et fragile. Il ne le céderait à aucun régulateur objectif de la conduite humaine ». Sa finesse et sa prévoyance le rapprochent de l'instinct qui arrive à ses fins par des voies complexes que les découvertes des sciences naturelles permettent de reconstituer peu à peu et sur lesquelles s'appuient des explications finalistes de l'univers.

Des réponses aux enquêtes proposées par André Breton et Paul Éluard comme : « Pouvez-vous dire quelle a été la rencontre capitale de votre vie ? – Jusqu'à quel point vous a-t-elle donné, vous donne-t-elle l'impression du fortuit ? du nécessaire ? » traduisent le « trouble actuel, paroxystique de la pensée logique amenée à s'expliquer sur le fait que l'ordre, la fin, etc., dans la nature ne se confondant pas objectivement avec ce qu'ils sont dans l'esprit de l'homme » coïncident. En effet, l'analyse de toutes les circonstances objectives et subjectives qui ont fait que deux êtres inconnus l'un à l'autre ont été réunis d'une façon soi-disant fortuite montre que leur rapprochement était inscrit à l'avance dans leur psychisme profond. L'aspiration vers tel ou tel être, imaginé dans l'enfance ou apparu dans un rêve, agit de telle sorte sur la conduite de l'individu qu'il lui arrive, soudainement, de se trouver dans les circonstances favorables à sa réalisation. Le hasard n'est donc que la « rencontre d'une causalité externe et d'une finalité interne ».

Ainsi, dans *L'Amour fou*, André Breton nous fait le récit de sa rencontre « inopinée » dans le quartier des Halles, le 29 mai 1934, avec une jeune femme « *scandaleusement* belle ». Quelques jours après, exalté par l'objet de son amour, il ouvrit un soir, un de ses livres et tomba sur un poème intitulé *Tournesol*, écrit en mai ou juin 1923 et qui était comme le récit anticipé de l'aventure. Cet exemple confirme cette affirmation des *vases communicants* : « l'auto-analyse pouvait parfois épuiser le contenu des événements réels au point de les faire dépendre entièrement de l'activité antérieure la moins dirigée de l'esprit ». Les divers moments du temps s'intègrent donc intimement, et on pourrait lire son avenir sur une boule de cristal puisqu'il est contenu dans la minute présente. Souvent lorsque nos calculs les plus rigoureux, nos précisions les mieux fondées sont déjoués, on en attribue la cause à la malchance, au hasard, mais si l'on cherchait bien, on la trouverait en soi-même dans un acte ou un rêve passés, ou le cas échéant, même dans des prédictions de voyantes. « Quand le hasard nous montre que nos limites peuvent être infiniment éloignées, nous regrettons notre prudence et nos méthodes, nous sommes malheureux. » Ainsi l'introspection est à la base de la liberté d'une vie plus intense et significative de notre être intégral.

Le Surréalisme peut donc aussi être considéré comme une méthode pour arriver à mieux connaître sa véritable destinée. « Il doit se fomenter autour de chaque être un complot très particulier qui n'existe pas seulement dans son imagination dont il conviendrait, au seul point de vue de la connaissance, de tenir compte, et aussi, mais beaucoup plus dangereusement en passant la tête, puis un bras entre les barreaux ainsi écartés de la logique, c'est-à-dire de la plus haïssable des prisons. » Et Louis Aragon nous confie : « Je ne veux plus me retenir des erreurs de mes doigts, des erreurs de mes yeux. Je sais maintenant qu'elles ne sont pas que des pièges grossiers, mais de curieux chemins vers un but que rien ne peut me révéler qu'elles... Admirables jardins des croyances absurdes, des pressentiments, des obsessions et des délires. »

Il faut concevoir dès lors une nécessité agrandie qui englobera la nécessité humaine et la nécessité naturelle. On peut aller jusqu'à admettre que la nécessité externe est au service de la nécessité humaine, comme le réel est sous la dépendance du Surréel. André Breton s'est attaché « à rien tant qu'à montrer quelles précautions et quelles ruses le désir, à la recherche de son objet, apporte à louvoyer dans les eaux préconscientes et, cet objet découvert, de quels moyens, stupéfiants jusqu'à nouvel ordre, il dispose pour le faire connaître par la conscience ».

De même, ce n'est pas « par hasard » qu'on fait un achat plutôt qu'un autre. « Chacun n'a qu'à s'en référer à lui-même, à contempler les objets dont il aime s'entourer, à se demander pourquoi il s'est rendu acquéreur de celui-ci, pourquoi tel autre a subi des éclipses d'attachement et de détachement, et à élucider s'il le peut, les raisons de ses états affectifs à leur égard. » André Breton aimait ainsi à se promener parmi les brocanteurs et à rechercher pourquoi son attention avait été sollicitée par tel ou tel étalage. Ainsi, il lui arriva d'acheter avec Alberto Giacometti un « demi-masque de métal » qui, ultérieurement, se trouva compléter une sculpture que celui-ci n'avait pu achever jusque-là. Reconnaissons donc cette façon de voir en la *trouvaille,* ce « merveilleux précipité du désir ». Ne remplit-elle pas ici *rigoureusement le même office que le rêve, en ce sens qu'elle libère l'individu de scrupules affectifs paralysants, le réconforte et lui fait comprendre que l'obstacle qu'il pouvait croire insurmontable est franchi ?* La trouvaille a donc un « rôle *catalyseur* », car en réalisant le désir refoulé de l'individu, elle le délivre de l'inquiétude que sa non-satisfaction lui procurait obscurément.

C'est pourquoi la mise au jour de la cause véritable d'un acte inopiné donne un sentiment tout à fait spécial qu'André Breton décrit ainsi : « À la pointe de la découverte, de l'instant où pour les premiers navigateurs une nouvelle terre fut en vue à celui où ils mirent le pied sur la côte, de l'instant où tel savant put se convaincre qu'il venait d'être témoin d'un phénomène jusqu'à lui inconnu, à celui où il commença à mesurer la portée de son observation – tout sentiment de durée aboli dans l'enivrement de la *chance* – un très fin pinceau de feu dégage ou parfait comme rien autre le sens de la vie. C'est à la récréation de cet état particulier de l'esprit que le Surréalisme a toujours aspiré, dédaignant en dernière analyse la proie et l'ombre pour ce qui n'est déjà plus l'ombre et n'est pas encore la proie : l'ombre et la proie fondues dans un éclair unique. »

Ainsi réalité et surréalité interfèrent sans cesse, le but du Surréalisme est de montrer l'unité de ces deux mondes, en apparence si opposés. « Une telle recherche part, selon Rolland de Renéville, de l'hypothèse que les phénomènes de la représentation et ceux du monde extérieur sont interchangeables. Elle aboutit à soumettre les événements à une méthode d'investigation jusqu'alors réservée aux phénomènes de l'esprit : la psychanalyse ainsi forcée devient une clé analogique, dont le maniement ramène celui qui en use à une conception du monde et de l'homme que ne cessèrent de se partager les primitifs, les mystiques, les poètes, tous ceux qui selon Novalis font avec des pensées des objets extérieurs et avec des objets extérieurs des pensées. »

*
* *

Par la prise de conscience des désirs refoulés, le Surréalisme veut développer la personnalité humaine. À la différence du spiritisme qui la dissocie, il « ne se propose rien moins » que de l'unifier. Le danger de l'analyse de soi est de s'y perdre, de ne pas savoir en synthétiser les données en une notion plus riche. André

Breton s'efforce donc de montrer que toutes ces pêches en eau trouble doivent être examinées à la lueur de la conscience. L'automatisme n'est pas une fin, il ne peut servir qu'à augmenter la connaissance de soi-même et à en tenir compte pour modifier sa conduite. Beaucoup d'auteurs, écrit-il, « se satisfirent généralement de laisser courir la plume sur le papier, sans observer le moins du monde ce qui se passait en eux, ce dédoublement étant pourtant plus facile à saisir et plus intéressant à considérer que celui de l'écriture réfléchie, ou de rassembler d'une manière plus ou moins arbitraire des éléments oniriques destinés davantage à faire valoir leur pittoresque qu'à permettre d'apercevoir utilement leur jeu. Une telle confusion est bien entendu de nature à nous priver de tout le bénéfice que nous pourrions trouver à ces sortes d'opérations ». Les enquêtes surréalistes doivent être faites sur le modèle des observations cliniques, quoique dans ce cas, observateur et patient ne font qu'un. « Rien ne serait moins inutile que d'entreprendre à cet égard de "suivre" certains *sujets,* pris aussi bien dans le monde normal que dans l'autre, et cela dans un esprit qui défie à la fois l'esprit de la baraque foraine et celui du cabinet médical et soit l'esprit surréaliste en un mot. Le résultat de ces observations devrait être fixé sous une forme naturaliste excluant, bien entendu, au-dehors toute poétisation. »

Le Surréalisme, s'il commence par prôner l'abandon à l'imagination, le relâchement de la volonté est loin cependant d'aboutir à la démission de l'homme. Ses adeptes doivent avoir pour seule préoccupation de lui découvrir de nouvelles perspectives. Bien que les artistes soient particulièrement doués pour pénétrer dans le domaine du subconscient, ils ne doivent pas oublier qu'ils sont avant tout des expérimentateurs chargés de révéler à l'homme ses puissances cachées. Comme l'a écrit Antonin Artaud : « Je me livre à la fièvre des rêves, mais c'est pour en tirer de nouvelles lois. » Donc, « si les profondeurs de notre esprit recèlent d'étranges forces capables d'augmenter celles de la surface, ou de lutter victorieusement contre elles, selon André Breton, il y a tout intérêt de les capter... pour les soumettre ensuite, s'il y a lieu, au contrôle de notre raison ».

**
*

Les Surréalistes n'ont donc approfondi la recherche des contradictions, des incohérences que pour mieux faire surgir leur unité, se rencontrant ainsi avec Jung pour qui « le conscient et l'inconscient ne s'opposent pas nécessairement ; au contraire, ils se complètent l'un l'autre et forment à eux deux un ensemble : l'individualité » considérée comme une entité supérieure au seul moi conscient car elle englobe aussi le *Soi*. Cette « conscience élargie » affranchie des craintes et des désirs perturbateurs « lie définitivement l'individu à la réalité objective ».

André Breton insiste sur cette émancipation de l'être humain qui seule peut le satisfaire pleinement. Il ne s'agit de rien moins, après avoir exploré le monde souterrain, que de rendre à la pensée « sa pureté originelle », décision qui suppose un grand désintéressement et un non moins grand mépris du risque. Aussi, « l'opération surréaliste n'a de chance d'être menée à bien que si elle s'effectue dans des conditions d'*asepsie morale,* dont il est encore très peu d'hommes à vouloir entendre parler ». Des reproches tels que ceux prétendant que le Surréalisme « fait profession de ne vouloir considérer au monde que ce qu'il y a de plus vil, de plus décourageant et de plus corrompu » dénotent l'incompréhension totale de ses efforts.

Ces critiques ne sont pas sans rappeler celles adressées à Sartre, mais les Surréalistes y échappent parce qu'ils ne se sont faits les apologistes de l'inavouable que pour mieux donner ensuite à l'homme une conscience anoblie de lui-même. « Pourquoi sommes-nous faits et à quoi devons-nous accepter de servir, devons-nous laisser là toute espérance ? C'est de cette angoisse qu'est faite la question qui nous occupe », proclame André Breton dans *Les pas perdus.*

Le Surréalisme n'est pas une conception pessimiste de la vie, car non seulement il révèle à l'être des possibilités insoupçonnées, mais encore il s'efforce de lui fournir les moyens de les réaliser. C'est pourquoi les Surréalistes sont retournés vers le réel et ont édifié une théorie d'action sociale apte à changer les conditions extérieures qui limitent l'existence de l'homme. Ils sont redescendus de la Surréalité à la réalité et à la politique, par une démarche semblable à celle du philosophe platonicien qui, après avoir contemplé le soleil, revient se mêler aux prisonniers de la caverne pour les guider vers la lumière.

III. – **L'aspect social**

Des êtres comme Jacques Vaché, suivi plus tard de Jacques Rigaud et René Crevel, pour avoir voulu extérioriser leur personnalité dans une société qui n'était pas faite pour eux, imitant Gérard de Nerval, la quittèrent volontairement. Or des enquêtes surréalistes sur le suicide, il résulte que l'une de ses principales causes vient du refoulement social de la *libido.* Cependant André Breton est loin de confondre l'amour avec la tyrannie d'instincts déchaînés. L'aspiration secrète des êtres est de vivre un amour unique, un *Amour fou* selon le titre d'un de ses ouvrages. La libération des désirs ne fait que donner l'énergie nécessaire pour réaliser ce qui n'est le plus souvent qu'un idéal. Toute la poésie de Paul Éluard célèbre aussi ce seul être qui finit par se confondre avec une « réalité que la pensée et les mots n'atteignent plus », car la recherche de l'Unité qui fait le lien de toutes les démarches surréalistes revêt pour lui cet aspect suprême de l'amour.

André Breton, fidèle à sa méthode d'explicitation des tendances profondes de l'être, analyse les raisons pour lesquelles on considère à tort que l'amour une fois satisfait doive forcément s'éteindre. Ce sophisme a d'abord selon lui une cause sociale provenant du fait que le « choix initial en amour n'est pas *réellement* permis, que, dans la mesure même où il tend exceptionnellement à s'imposer, il se produit dans une atmosphère de non-choix des plus hostiles à son triomphe ». Ce sont des préjugés de classe, de milieu qui séparent les êtres faits pour s'unir. Les surmonter, c'est s'exclure de la société ; s'y soumettre, c'est garder toute sa vie la nostalgie d'un bonheur entrevu.

La seconde cause, morale cette fois, provient de « l'incapacité où sont le plus grand nombre des hommes de se libérer dans l'amour... de toute crainte comme de tout doute, de s'exposer sans défense au regard foudroyant du dieu ». Il faut donc qu'ils puissent s'affranchir de cette idée du péché qui les empêche de se donner totalement à un seul être.

La réhabilitation de l'aspiration fondamentale de l'humanité ne doit pas rester une vue de l'esprit, elle exige une refonte de la Société, permettant d'être soi-même sans s'abaisser aux hypocrisies d'une morale étriquée. Pour ce faire, il faut « passer outre à l'absurde distinction du beau et du laid, du vrai et du faux, du bien et du mal ». Le Surréalisme s'est fait un « dogme de la révolte absolue, de l'insoumission totale, il n'attend encore rien que de la violence ».

Des livres, comme *Le libertinage* de Louis Aragon, évoquent des existences en marge de la Société et font ressortir à quelles extravagances aboutit l'original qui ne veut pas composer avec elle. De même que l'on heurte le bon sens, que l'on scandalise la foule par des poèmes, des tableaux qui n'en ont apparemment que le nom, il faut l'arracher à sa torpeur par des actes qui la révoltent. André Breton ne craint pas d'écrire, dans une note du

Second Manifeste du surréalisme : « Je crois à la vertu absolue de tout ce qui s'exerce spontanément ou non, dans le sens de l'inacceptation. » Cette conception n'est, pour André Breton, « nullement incompatible avec la croyance en cette lueur que le Surréalisme cherche à déceler au fond de nous ». Un des héros de Louis Aragon, pour entraîner ses adeptes dans des aventures dangereuses, s'écrie : « Vos cœurs sont des bulles d'eau : j'y vois mieux que vous-mêmes la source de l'effroi... Oui, que tout me cède : la cruauté, la félonie, tout cela change de nom avec les hommes, et leurs contraires sont la faiblesse, la faiblesse et la faiblesse. Il n'y a que les excès qui méritent notre enthousiasme, et s'ils ne nous rapportent que la haine, sans doute, est-ce qu'ils nous vaudront tôt ou tard un amour plus durable. »

Ces réactions, dont les désirs sont ainsi rendus conscients, seront autant d'exemples pour dénoncer la pseudo-morale bourgeoise et entraîner les êtres vers une révolution de l'existence.

*
* * *

Le Surréalisme a donc subi une forte évolution. Orienté d'abord vers la mystique, il est devenu pour ainsi dire plus positif. La psychanalyse a permis de situer la notion de Surréalité dans l'inconscient où elle peut être étudiée scientifiquement. Mais les Surréalistes ne veulent pas qu'elle reste une chimère accessible à quelques privilégiés, ils cherchent à la délivrer du joug de la structure capitaliste par l'application des théories de Karl Marx. Déjà en 1929, avait paru *Le Second Manifeste du surréalisme,* à caractère nettement politique où André Breton après avoir déploré que « certaines choses sont, alors que d'autres qui pourraient si bien être ne sont pas », précise son but : « Nous avons avancé qu'elles doivent se confondre ou singulièrement s'intercepter à la limite. Il s'agit, non d'en rester là, mais de *ne pouvoir faire moins que de tendre désespérément à cette limite.* » En 1930, la revue *La Révolution surréaliste* devient *Le Surréalisme au service de la Révolution,* changement de titre caractéristique, si l'on pense à l'individualisme anarchique du début du mouvement. Or la *première condition de la libération de l'esprit* étant la libération de l'homme, celle-ci peut être atteinte par la révolution prolétarienne.

De là, une reprise de tous les grands thèmes du matérialisme historique en lutte contre un « monstrueux système d'esclavage et de faim ». Car « nous vivons en conflit ouvert avec le monde immédiat qui nous entoure, monde ultrasophistiqué, monde qui, sous quelque aspect qu'on l'interroge s'avère, devant la pensée libre, *sans alibi...* La souillure de l'argent a tout recouvert. On cherche à obtenir de toutes parts une résignation morne, à grand renfort de niaiseries et spectacles ». Il faut détruire tous ces privilèges capitalistes qui briment l'individu et l'oppriment dès son enfance.

Les Surréalistes ont voulu éviter le danger dans lequel étaient tombés les auteurs individualistes. Ainsi, des personnages de Dostoïevski par des analyses stériles ont dégénéré dans un romantisme mystique, à l'écart de la réalité, qui les a fait sombrer dans le nihilisme du désespoir.

Ne voir dans le rêve qu'un moyen d'évasion et lui attribuer un rôle surnaturel en l'opposant à l'activité vient de l'insatisfaction que l'être humain rencontre dans la société telle qu'elle est. C'est pourquoi il faut réagir contre cette tendance qui appauvrit l'individu. L'homme ne doit pas se résigner aux conditions qui lui sont faites, mais les dominer de toute sa force reconquise.

Le retour sur son passé, en particulier, amenuise l'énergie de l'homme, il l'enrichit au contraire, s'il est orienté vers l'action. « Extraire des abîmes ce que l'homme avait sacré *trésors* justement, parce que la masse d'ignorance, d'oubli, de refus qu'il avait mise entre sa conscience et ses soi-disant trésors, lui permettait seule, de les considérer comme tels ; amener au monde des phénomènes par les moyens qui lui étaient propres (sommeil, transcription de rêves, écriture automatique, simulations de délires nettement caractérisés), ce que, sous les épaisseurs dont elle l'avait enveloppé, chaque créature considérait comme son noyau nouménal ; remuer l'inconscient jusqu'alors taupinière où les désirs de l'homme se recroquevillaient, s'estropiaient dans la crainte des avalanches homicides ; dans la terre qui semblait condamnée à l'éboulement, tracer de larges routes claires, lumineuses ; livrer à la circulation tout ce qui était zone interdite ; désigner de nouvelles voies de communication aux esprits qui voulant faire bon visage à mauvais sort s'efforçaient de tirer parti, orgueil d'un isolement dont ils feignaient de prendre la stupide misère pour une pathétique magnificence ; ces points de vue, selon René Crevel, étaient aussi des points de rencontre avec Marx et Engels, pour qui la chose en soi, au lieu de rester l'insaisissable de la philosophie kantienne, le tabou des derniers retranchements métaphysiques, devait, au contraire, se métamorphoser en chose pour les autres. Ainsi, de l'humain desséché, le Surréalisme ressuscitait l'homme. » Le Freudisme a débarrassé l'individu de conceptions morales bornées, a montré la force des instincts, mais cet élan vital ainsi libéré ne métamorphose l'existence humaine, que si l'on a transformé le monde. Le Surréalisme a donc pour but de concilier l'antinomie de l'action et du rêve, il devient un « mode de connaissance se développant dans le cadre du matérialisme dialectique en application du moi d'ordre de Karl Marx : "plus de conscience" qui s'accorde avec sa conception psychologique de fusion de l'inconscient et du conscient ».

Le mouvement surréaliste est donc loin d'être une contemplation, une fuite hors du réel, comme il aurait eu tendance à le devenir. Dès le début, il avait montré que la pensée est commune à tous, qu'il existe une sorte de conscience universelle. Ses tendances sociales étaient préfigurées dans la place qu'il avait faite aux découvertes scientifiques récentes, au machinisme, et au merveilleux qui l'entoure. Mais ce n'est que plus tard qu'elles se sont concrétisées dans l'adhésion au marxisme. « Le problème qui se pose aux Surréalistes, reconnaît Pierre Naville, est de savoir dans quelles conditions vit actuellement l'esprit, et, s'il étouffe, s'il meurt, quelles sont les conditions réelles de son salut... Le Surréalisme doit sa réalité, sa vie, à ce qu'il est nécessaire, non pas à la décomposition de l'esprit, mais à un développement supérieur. »

Ainsi le Surréalisme « appartient à cette vaste entreprise de recréation de l'univers à laquelle Lautréamont et Lénine se sont donnés tout entiers ». Paul Éluard le tient même pour un « instrument de conquête aussi bien que de défense... Que l'homme se découvre, qu'il se connaisse, et il se sentira aussitôt capable de s'emparer de tous les trésors dont il est presque entièrement privé, de tous les trésors aussi bien matériels que spirituels qu'il entasse depuis toujours, au prix des plus affreuses souffrances, pour un petit nombre de privilégiés aveugles et sourds à tout ce qui constitue la grandeur humaine ».

Aussi, André Breton trouve-t-il dans le matérialisme historique des arguments nouveaux pour fonder son idée dialectique de l'union des contradictoires et arriver à une « philosophie particulière de l'immanence d'après laquelle la surréalité serait contenue dans la réalité même (ne lui serait ni supérieure, ni extérieure). Et réciproquement, car le contenant serait aussi le contenu. Il s'agirait presque d'un *vase communicant* entre le contenu et le contenant ». En ce sens, le surréel n'est que le réel inconnu, et tant que durera son mystère, poètes et philosophes s'acharneront à sa découverte.

Certains critiques ont été déçus par cette évolution et Rolland de Renéville a reproché à André Breton « son abandon de la position idéaliste au profit du matérialisme dialectique... Si les Surréalistes renoncent à nous mener directement à la conquête de notre esprit, pour agir désormais sur les faits, dans le vaste espoir que leur devenir nous apportera de lui-même cette conquête, il est permis de se demander si ce point de vue ne constitue pas, en réalité, la liquidation d'une doctrine en l'honneur de laquelle je prononçais des paroles de confiance par une sorte d'anachronisme ».

Mais dans *Les Vases communicants,* André Breton précise nettement sa position : « Ce monde (le monde extérieur), je savais qu'il existait en dehors de moi, je n'avais pas cessé de lui faire confiance. Il n'était pas pour moi, comme pour Fichte, le non-moi créé par mon moi. Dans la mesure où je m'effaçais sur le passage des automobiles, où je ne me permettais pas de vérifier, aux dépens de qui bon me semblait, fût-ce de moi-même, le bon fonctionnement d'une arme à feu, j'en allais même à ce monde de mon plus beau coup de chapeau. Je pense que ceci doit suffire. » Il considère donc qu'il lui est aisé « contrairement à ce qu'insinuent certains détracteurs... de démontrer que, de tous les mouvements spécifiquement intellectuels qui se sont déroulés jusqu'à ce jour, il est le seul à s'être prémuni contre toute velléité de fantaisie idéaliste ».

Selon lui, il était dans le développement naturel du Surréalisme de passer par le matérialisme dialectique. Il reconnaît avoir tout d'abord soutenu un idéalisme subjectif, mais qui ne s'opposait du reste qu'au matérialisme mécaniste, ces deux positions antagonistes sous-entendant une dualité entre la matière et l'esprit qu'il fallait résoudre. L'idéalisme absolu de Hegel, essentiellement synthétique, était déjà plus satisfaisant, et le matérialisme dialectique n'en était du reste que la transposition sur le plan de l'action. « Les Surréalistes, ayant fermé de la révolte intégrale à l'humour universel la même boucle que Lautréamont, cherchent à en sortir à travers le marxisme. »

Ils ont clairement senti qu'il fallait lutter contre la logique, en faisant ressortir que l'ambivalence est au fond de la vie et en soulignant les antinomies révélées par l'exploration de l'inconscient. Mais on ne pouvait s'en tenir à ces négations, et il fallait trouver un troisième terme qui fut la synthèse de cette opposition apparente du réel et du surréel. Pour André Breton il ne peut être comme pour Hegel, l'Idée qui peut être interprétée comme notion statique et réactionnaire que réaliserait un état totalitaire, conception contraire à la liberté qu'il recherche.

La solution de Marx et de Engels qui considèrent que le « dépassement est dans le mouvement de l'action et de la vie » ne pouvait que le satisfaire. Elle aboutit en effet à envisager l'homme comme un ensemble de puissances librement épanouies.

***

Hegel n'avait édifié sa philosophie que pour montrer ce paradoxe de la *conscience malheureuse* séparée en deux plans antithétiques, irrémédiablement enfermée en elle-même, et pourtant « pleine d'un amour malheureux de l'absolu ». À travers l'histoire de l'humanité il retrace les étapes du calvaire qu'elle doit traverser pour s'élever enfin à la synthèse de l'Esprit. Mais il s'était placé sur un terrain théorique, en faisant de l'homme « l'homme de la conscience, au lieu de faire de la conscience, la conscience de l'homme, de l'homme réel, vivant dans un monde réel, objectif et conditionné par lui ».

Frappés de cette insuffisance, Kierkegaard et Marx, mais par des voies différentes, ont essayé de résoudre ce même problème : rendre à l'homme son unité mais en l'envisageant tel qu'il est, aux points de vue psychologique et social. En allant ainsi de la terre au ciel, ils s'opposent absolument à « la philosophie allemande qui va du ciel à la terre », et tournent le dos à son idéalisme.

Partis tous deux des antinomies de la conscience malheureuse, l'un essaye d'arriver à la liberté par un repli sur lui-même, tandis que l'autre fait dépendre sa libération d'une transformation sociale.

Or, nous retrouvons ces mêmes directions de pensée dans l'évolution des Surréalistes. Leur rupture avec le monde leur fait éprouver cette angoisse qui les a poussés à s'interroger sur eux-mêmes ; et leur impuissance à résoudre seuls leurs conflits les amène à envisager l'homme en tant qu'être social.

Placés devant la thèse représentée par la réalité, ils se sont rejetés vers son antithèse : la Surréalité, qui est devenue une sous-réalité, et se sont ensuite donné pour tâche la synthèse de cette antinomie. Leur révolte contre les insuffisances du réel les a donc orientés vers le mystérieux, le fantastique, le monde du rêve où ils ont pensé pouvoir la saisir toute. Mais, pour mieux heurter la routine et arracher la masse à sa torpeur, ils ont surtout exploré le domaine du terrifiant, du monstrueux et tout naturellement ont rencontré les théories de Freud qui leur a dévoilé les instincts inassouvis de l'inconscient. Ils ont alors quitté la métaphysique pour ce terrain plus solide. Mais loin d'en rester à l'analyse des bas-fonds que le vernis de la société et de l'éducation dissimule, ils y ont vu l'origine des mécontentements dont souffre l'individu ; leur esprit de révolte leur a fait aussitôt adopter les théories marxistes qui, en bouleversant les conditions sociales, doivent permettre à l'homme de réaliser son moi intégral et, par conséquent de trouver la liberté véritable. Ainsi cette unité de l'univers qui n'était que pressentie s'est trouvée confirmée par l'analyse psychologique, et le marxisme lui a donné un contenu positif. L'évolution dialectique du Surréalisme peut donc se résumer dans les trois noms de Lautréamont, Freud et Trotzsky, précurseurs de chacune de ses étapes.

**

De même que la découverte de soi n'est qu'un moyen qui aboutit en fait à la libération de la Surréalité, de même la révolution sociale n'est pas un but en elle-même, puisqu'elle n'est que condition de rénovation humaine. La révolution doit avant tout dégager la personnalité du carcan des cadres sociaux. En attendant qu'elle se produise, les expériences de la vie intérieure doivent être poursuivies et bien entendu, indépendamment de tout « contrôle extérieur, même marxiste ». Mais il y a deux problèmes distincts quoique complémentaires : d'une part, celui de la connaissance, de l'autre, celui de l'action sociale. Et il se produit un échange constant entre ces deux mondes intérieur et extérieur, « entre les besoins satisfaits et insatisfaits » de l'homme, origine de ce tourment, de cette aspiration, « de cette soif spirituelle que, de la naissance à la mort, il est indispensable qu'il calme et qu'il ne guérisse pas ». Et affirme André Breton : « Je ne me lasserai pas d'opposer à l'impérieuse nécessité actuelle, qui est de changer les bases sociales par trop chancelantes et vermoulues du vieux monde, cette autre nécessité non moins impérieuse qui est de ne pas voir dans la Révolution à venir une fin, qui de toute évidence serait en même temps celle de l'histoire. La *fin* ne saurait être pour moi que la connaissance de la destination éternelle de l'homme, de l'homme en général, que la Révolution seule pourra rendre pleinement à cette destination. »

Sur ce point, il demeure si intransigeant que sa seconde interview par Jean Duché, s'intitule : *Il faut régler son compte à l'infâme précepte : la fin justifie les moyens.* Le livre de Arthur Koestler, « *Le zéro et l'infini* nous dévoile les perspectives confondantes de cette dernière manière de voir portée à ses extrêmes conséquences... Ce précepte, ajoute André Breton... est en effet celui auquel les derniers intellectuels libres doivent opposer aujourd'hui le refus le plus catégorique et le plus actif. C'est dans ce refus sans réserves que me paraît résider aujourd'hui la véritable affirmation efficace de la liberté. »

Le Surréalisme ne peut donc être considéré comme un système clos puisqu'il s'annonce prêt à une recherche incessante, curieux d'assimiler toute nouvelle conception apte à réaliser ce but. Et son évolution ne peut que se poursuivre.

*

Loin d'étouffer la liberté individuelle, le marxisme doit en être la condition, car André Breton l'a entendu primitivement au sens de Trotzsky qui considérait comme une trahison son interprétation totalitaire. C'est pourquoi son champ d'application est beaucoup plus vaste que la résolution des problèmes sociaux, à laquelle on veut le réduire. André Breton tient, si l'on peut dire, les « deux bouts de la chaîne » : la théorie et la pratique, mais son aspiration vers l'Infini ne peut se contenter d'une solution arrêtée car il a conscience du dynamisme de l'être, de sa destinée qui le dépasse. Le Surréalisme est une doctrine complexe, dont les adhérents ont vivement ressenti l'instabilité de la condition humaine. Privés de religion et de foi, ils cherchent à dénouer cette crise morale d'une génération désaxée. Conscients de la diversité du réel, ils ne veulent pas négliger son élément spirituel au profit de son seul aspect matériel. Aussi ne peuvent-ils s'assimiler intégralement les conceptions communistes telles qu'elles sont réalisées en URSS, car ils veulent sans cesse sauvegarder les droits de la liberté et de l'existence subjective, d'où les scissions qui se produisent entre eux, sur le terrain purement politique, et dont l' « Affaire Aragon » fut la plus retentissante.

Certains textes permettent en effet de considérer le

marxisme comme une théorie générale de la connaissance. En effet, Karl Marx critique violemment le communisme primitif et grossier qui nivelle et par là rabaisse les individus. La propriété privée ne sera positivement abolie, que si le désir de jouissance physique et matérielle disparaît par l'effacement de toute distinction entre le tien et le mien. Conception très élevée qui voit dans la suppression de l'égoïsme humain la condition de sa libération. Révolution sociale et révolution humaine sont solidaires, et de leur harmonie résultera une transformation de la réalité aux points de vue économique et spirituel.

Au marxisme ainsi envisagé se rallie André Breton lorsqu'il écrit : « L'homme ne peut se contenter de la seule satisfaction de ses appétits matériels. Des problèmes comme ceux du rêve, de l'amour se posent au marxiste comme à tout autre. » Vouloir bouleverser le monde sans tenir compte de ces aspirations qu'ils impliquent ne pourra conduire qu'à un échec. « Toute erreur dans l'interprétation de l'homme entraîne donc une erreur dans l'interprétation de l'univers. » Concevons donc une « attitude synthétique dans laquelle se trouvent conciliés le besoin de transformer le monde et celui de l'interpréter le plus complètement possible ».

Donc le communisme véritable « comme l'appropriation de l'essence humaine par l'homme et pour l'homme, donc comme retour de l'homme à lui-même en tant qu'homme social, c'est-à-dire l'homme humain, retour complet, conscient, et avec le maintien de toute la richesse du développement antérieur, ce communisme étant un naturalisme achevé coïncide avec l'humanisme ».

Mais André Breton dépasse encore ce point de vue de Karl Marx lorsqu'il s'écrie : « La grande malédiction est levée, c'est dans l'amour humain que réside toute la puissance de régénération du monde. » Alors devenu vraiment lui-même, l'homme pourra « s'engager à fond », car par-delà l'être aimé il s'identifiera non seulement à l'humanité entière mais à la vie universelle. L'amour permettra de résoudre les antinomies, objet de la recherche surréaliste, « car c'est par lui seul que se réalise au plus haut degré la fusion de l'existence et de l'essence, c'est lui seul qui parvient à concilier d'emblée, en pleine harmonie et sans équivoque, ces deux notions, alors qu'elles demeurent hors de lui toujours inquiètes et hostiles ».

Cette vue optimiste d'une humanité réconciliée avec elle-même et avec le cosmos réalise l'unité poursuivie par les Surréalistes. « Ils ne tiennent pas pour incurable la "fracture" observée par Camus entre le monde et l'esprit humain. Ils sont très loin d'admettre que la nature soit hostile à l'homme mais supposent que l'homme, originellement en possession de certaines clés qui le gardaient en communion étroite avec la nature, les a perdues et, depuis lors, de plus en plus fébrilement s'obstine à en essayer d'autres *qui ne vont pas.* » La science demeure impuissante à les lui procurer, tant qu'elle s'écarte de ce contact avec la nature que seule la poésie peut donner. André Breton va jusqu'à voir dans l'établissement d'un mythe nouveau, basé sur la conception de Fourier, la réalisation de cet accord suprême entre les passions humaines et les trois règnes naturels.

Les poètes sont donc les guides de l'humanité, en marche vers un idéal. Leur inspiration leur fait transgresser les limites de la raison et leur permet alors de prédire les étapes de son évolution. Aussi, d'accord avec Tristan Tzara, André Breton considère-t-il l'art comme une activité purement désintéressée, et absolument indépendante, autre raison pour laquelle il n'a pu s'accorder avec le Congrès des écrivains soviétiques. Comme il l'a déclaré à Mexico en 1938 : « À ceux qui nous presseraient de consentir à ce que l'art soit soumis à une discipline que nous tenons pour radicalement incompatible avec nos moyens, nous opposons un refus sans appel. »

Une œuvre qui engage son auteur à prendre position dans telle ou telle direction le fait déchoir du plan universel qui est le sien par excellence. Elle est une limitation à sa vision qui doit l'élever bien au-dessus de son époque, car l'artiste ne doit que « révéler à la connaissance les puissances de la vie spirituelle » en « montrant à la conscience collective ce qui doit être et ce qui sera ».

Nul mieux que le poète, dont la sensibilité a des antennes qui manquent à la masse des hommes, ne « surmontera l'idée déprimante du divorce irréparable de l'action et du rêve... Il maintiendra coûte que coûte en présence les deux termes du rapport humain par la destruction duquel les conquêtes les plus précieuses deviendraient instantanément lettre morte : la conscience objective des réalités et leur développement interne en ce que, par la vertu du sentiment individuel d'une part, universel d'autre part, il a jusqu'à nouvel ordre de magique ». Nul mieux que lui n'effectuera la synthèse de l' « existence soumise à la connexion objective des êtres et de l'existence échappant concrètement à cette connexion en un précipité d'une belle couleur durable ».

De même que les Surréalistes ne s'étaient pas perdus dans l'exploration des profondeurs de l'inconscient et avaient su garder leur esprit critique pour dégager les lois de leurs découvertes, de même ils ne s'abandonnent pas totalement à l'action révolutionnaire, car l'art, la science, la révolution concourent au même but : l'harmonie de l'homme et de l'univers. Incompris des tenants de l'art pour l'art, ils devaient l'être aussi des militants communistes. Et à ce point de vue, Jules Monnerot les compare aux gnostiques. « Quand ces nouveaux chrétiens traduisaient leur pensée, les croyants ne reconnaissaient plus leur religion, de même les communistes n'auraient guère pu reconnaître, dans la "Révolution surréaliste" leur révolution. La révolution surréaliste est tellement plus "belle" que l'autre. Elle est "explosante-fixe", "magique-circonstancielle". Elle naquit au sein de la poésie. » Les communistes ne pouvaient que se défier de ces poètes, qui non seulement ne savaient pas se plier à leur discipline, mais prétendaient leur imposer leurs vues.

Mais qu'importent ces incompréhensions puisque l'Art, pour les Surréalistes, est le flambeau qui éclaire la route sur laquelle dépassant la psychanalyse et la révolution ils s'engagent en pionniers d'un monde libéré !

CONCLUSION

Les Surréalistes, en ne se contentant pas de voir le monde sous son seul aspect objectif ont découvert cette source d'inspiration que l'homme porte en lui-même et ils l'ont exprimée par des poèmes et des tableaux d'une incontestable originalité poétique. Une esthétique nouvelle se dégage de ces rapprochements inattendus d'images issues de cette féerie qui enveloppe les êtres et les choses. Tandis qu'avec André Breton s'ouvrent les portes du rêve, Paul Éluard nous entraîne vers des cimes neigeuses. De même le lyrisme de Louis Aragon redonne aux quartiers de Paris le mystère caché sous leur aspect rassurant. Des romans surréalistes comme *Le beau ténébreux* de Julien Gracq évoquent en des pages romantiques ces aspirations de l'homme vers un être supérieur, qu'il étouffe à mesure que les difficultés de la vie effacent les rêveries de son enfance.

On ne peut accuser d'obscurité des artistes qui, ayant su oublier les classification toutes faites, ont retrouvé cette faculté de s'étonner devant les multiples aspects de la réalité intérieure et extérieure. N'est-ce pas nous plutôt qui, avec nos catégories étroites, rapetissons le réel au point de ne plus éprouver cette émotion que suscite l'Infini partout répandu ! De ne pouvoir comprendre un texte, ni mettre un titre sur un tableau soulèvent le scandale. Mais si, faisant taire tout esprit critique, l'on sait revenir à ses impressions spontanées, si l'on se laisse pénétrer par leur atmosphère surréelle alors on pourra redécouvrir le merveilleux.

Mais l'art des Surréalistes dépasse de beaucoup ce plan de l'esthétique, car il veut nous entraîner vers ces minutes inoubliables auxquelles accède l'être dilaté par la passion ou par la révélation de la beauté. Dans une humanité rénovée elles ne seront plus des instants fugitifs mais illumineront l'existence. On ne peut donc reprocher aux Surréalistes leur descente vers le concret à travers la psychanalyse et le marxisme car s'ils se consacrent à transformer la vie même de l'homme, il leur fallait après avoir ressenti et exprimé ses tourments chercher par la science psychologique aussi bien que sociale à l'en libérer. Loin de se cantonner dans l'exploration d'un domaine unique, ils s'efforcent sans cesse de découvrir des voies nouvelles pour s'approcher de cet idéal qu'ils ont l'ambition de réaliser.

Considérons donc le Surréalisme comme une des formes de cet élan qui a traversé à toutes les époques et dans tous les pays les êtres d'élite qui ont voulu s'affranchir de leurs limites. Il s'oppose à la philosophie occidentale classique tout autant qu'à une conception négative et désespérée de l'existence. Il se rattache aux grands mouvements de la pensée qui échappent à toute classification historique car il ne tend à rien moins qu'à résoudre le problème angoissant de notre destinée.

Demeurer disponible envers l'authentique dissimulé par les catégories de la raison est la seule chance pour l'homme de reconquérir sa liberté. Par-delà les théories, l'Art, aussi bien que l'Amour et que tout essor vers l'Absolu, nous hausse au-dessus de notre humaine condition, car « il ne saurait y avoir d'espoir plus valable et plus étendu que le coup d'aile ».

RÉFÉRENCES

I. – OUVRAGES DES SURRÉALISTES

Louis Aragon, *Le libertinage* (NRF, 1924) ; *Le paysan de Paris* (NRF, 1926) ; *Traité du style* (NRF, 1928) ; *Les beaux quartiers* (Denoël, 1936) ; *Les collages* (Hermann, 1963) ; *L'œuvre poétique* (Livre Club Diderot, 1936-1981) ; *La défense de l'infini* (Gallimard, 1986) ; *Pour explorer ce que j'étais* (Gallimard, 1989).

Antonin Artaud, *Correspondance avec Jacques Rivière* (NRF, 1927) ; *Le théâtre et son double* (NRF, 1938) ; *Œuvres complètes* (Gallimard, 1994).

André Breton, *Les Pas perdus* (NRF, 1924 ; nouv. éd. Gallimard, 1979) ; *Nadja* (NRF, 1928 ; nouv. éd. Gallimard, 1970) ; *Le surréalisme et la peinture* (NRF, 1928 ; nouv. éd. 1980) ; *Manifestes du Surréalisme* (nouv. éd. Gallimard, 1979) ; *Le revolver à cheveux blancs* (Cahiers libres, 1932) ; *Les vases communicants* (Cahiers libres, 1932 ; nouv. éd. Gallimard, 1977) ; *Point du jour* (NRF, 1934 ; nouv. éd. Gallimard, 1977) ; *Position politique du surréalisme* (Sagittaire, 1935 ; nouv. éd. Denoël, 1972) ; *L'Amour fou* (NRF, 1938 ; nouv. éd. Gallimard, 1980) ; *Anthologie de l'humour noir* (Sagittaire, 1940 ; nouv. éd. Pauvert, 1970) ; *Situation du surréalisme entre les deux guerres* (Fontaine, 1945) ; *Arcane 17* (Sagittaire, 1947 ; nouv. éd. Pauvert, 1970) ; *Entretiens avec André Parinaud* (NRF, 1952) ; *La clé des champs* (Sagittaire, 1953 ; nouv. éd. Pauvert, 1967) ; *L'art magique* (Club français du Livre, 1957 ; Éd. Phébus-Adam Biro, 1991) ; *L'Un dans l'Autre* (Éric Losfeld, 1970).

Perspective cavalière, texte établi par Marguerite Bonnet (Gallimard, 1975).

En collaboration avec Paul Éluard, *L'Immaculée-Conception* (Éditions Surréalistes, 1930 ; nouv. éd. Seghers, 1980), Éd. José Corti, 1991 ; *Notes sur la poésie* (GLM, 1936).

En collaboration avec Paul Éluard et René Char, *Ralentir travaux* (Éditions Surréalistes, 1930).

En collaboration avec Philippe Soupault, *Les Champs magnétiques* (Au Sans-Pareil, 1921 ; nouv. éd. Gallimard, 1976) ; le manuscrit original de Lachenal et Ritter, 1988.

En collaboration avec Lise Deharme, Julien Gracq, Jean Tardieu, *Farouche à quatre feuilles* (Grasset, 1955).

Œuvres complètes (Éd. La Pléiade, Gallimard, 1992).

Luis Buñuel, *Mon dernier soupir* (Robert Laffont, 1982).

René Char, *Œuvres complètes* (Éd. La Pléiade, 1985).

Malcolm de Chazal, *Ma révolution* (Éd. Le temps qu'il fait, Cognac, 1983).

René Crevel, *Le clavecin de Diderot* (Éditions Surréalistes, 1932).

Corps et biens (Éd. NRF, 1950).

Salvador Dali, *La femme visible* (Éditions Surréalistes, 1930) ; *La conquête de l'irrationnel* (Éditions Surréalistes, 1936) ; *La vie secrète de Salvador Dali* (La Table Ronde, 1952 ; nouv. éd. Gallimard, 1980) ; *Comment on devient Dali* (Robert Laffont, 1973) ; *Visages cachés,* roman, 1944 (Carrère traduct., 1988).

Robert Desnos, *La liberté ou l'amour* (Kra, 1927 ; nouv. éd., NRF, 1962) ; *Œuvres de Robert Desnos,* édition établie par Marie-Claire Dumas (Gallimard, coll. « Quarto », 1999).

Paul Éluard, *À toute épreuve* (Éditions Surréalistes, 1930) ; *La vie immédiate* (Cahiers libres, 1932) ; *L'évidence poétique* (GLM, 1937) ; *Donner à voir* (NRF, 1939) ; *Œuvres complètes* (Éd. La Pléiade, 1968) ; *Œuvres poétiques complètes* (Éd. Luce Fleschi, 1986) ; *La poésie du passé* (Robert Laffont, coll. « Bouquins », 1998).

Max Ernst, *La femme 100 têtes* (Éditions Surréalistes, 1929).

Julien Gracq, *Au château d'Argol* (J. Corti, 1945) ; *Le beau ténébreux* (J. Corti, 1946) ; *Le rivage des Syrtes* (J. Corti, 1951).

G. Hugnet, *Petite anthologie poétique du surréalisme* (J. Bucher, 1934).

Pierre Naville, *La révolution et la intellectuels* (NRF, 1927).

Benjamin Péret, *Le grand jeu* (NRF, 1928 ; nouv. éd. NRF, 1969).

Philippe Soupault, *Mémoires de l'oubli,* 3 t. (Éd. Lachenal et Ritter, 1981-1988) ; *Œuvres complètes* (Corti, 1995) ; *Profils perdus* (Gallimard, coll. « Folio », 1999).

Tristan Tzara, *Grains et issues* (Denoël & Steele, 1935) ; *Œuvres complètes,* t. 1 à 4, 1912-1963 (Flammarion, 1981).

Réédition de revues

La Révolution surréaliste (1924-1929) (Jean-Michel Place, 1975).

Le Surréalisme au service de la Révolution (1930-1933) (Jean-Michel Place, 1976).

Le grand jeu (1928-1932) (Jean-Michel Place, 1977).

Nord-Sud (1917-1919) (Jean-Michel Place, 1980).

Minotaure (Skira-Flammarion, 1981).

Sic (1916-1919) (Jean-Michel Place, 1993).

Tropiques (1941-1945) (Jean-Michel Place, 1994).

II. – OUVRAGES SUR LE SURRÉALISME
COLLECTIFS

« Almanach surréaliste du demi-siècle », numéro spécial de *La Nef,* mars 1950 (Sagittaire ; nouv. éd. Plasma, 1978).

André Breton. Essais et témoignages (La Baconnière, 1949 ; nouv. éd., 1970).

André Breton (1896-1966) et le mouvement surréaliste (NRF, avril 1967).

Entretiens sur le surréalisme sous la direction de Ferdinand Alquié (Éd. Mouton, Paris - La Haye, 1968).

Surréalisme international. Opus international, n° 19-20 (Georges Fall, 1970).

« La femme surréaliste », numéro spécial de la revue *Obliques* (Nyon, Borderie, 1977).

Dictionnaire général du surréalisme et de ses environs, sous la direction de Adam Biro et René Passeron (PUF, 1982).

Mélusine (Éd. L'Âge d'Homme, Lausanne, n° 1, 1980, n° 10, 1988).

René Daumal, *Les dossiers H* (Éd. L'Âge d'Homme, janvier 1993).

André Breton, numéro spécial de *Cahier de la poésie contemporaine* (Éd. Shiclö-sha, Tokyo, octobre 1994).

Portraits de Philippe Soupault (Bibliothèque nationale de France, 1997).

André Breton, Cahier dirigé par Michel Murat (L'Herne, 1998).

Robert Desnos (Cahier de l'Herne 1987, rééd. 1999) ; Cahier dirigé par Marie-Claire Dumas.

Varian Fry à Marseille, 1940-1941. Les artistes et l'exil (Mona Bismarck Foundation, Éd. Actes Sud, Arles, avril 2000).
Mélusine. Merveilleux et Surréalisme (Éd. L'Âge d'homme, Lausanne, n° XX, 2000).

III. – OUVRAGES INDIVIDUELS

Sarane Alexandrian, *Le surréalisme et le rêve* (Gallimard, 1978).
Marcel Duchamp (Éd. Flammarion, 1976).
Ferdinand Alquié, *Philosophie du surréalisme* (Flammarion, 1977).
Philippe Audouin, *Les surréalistes* (Le Seuil, 1979).
Anna Balakian, *André Breton* (Oxford University Press, 1972).
Marie-Claire Banquart, *Paris des Surréalistes* (Seghers, 1972).
Laurent Beaufils, *Malcolm de Chazal* (Éd. La Différence, 1995).
Jean-Louis Bédouin, *André Breton* (Seghers, 1976) ; *Vingt ans de surréalisme* (Denoël, 1961) ; *La poésie surréaliste* (Seghers, 1964).
Henri Béhar, *Le théâtre Dada et surréaliste* (Gallimard, 1979) ; *André Breton. Le grand indésirable* (Éd. Calmann-Lévy, 1990).
Robert Benayoum, *Érotique du surréalisme* (J.-P. Pauvert, 1978) ; *Le rire des surréalistes* (Éd. de la Bougie du sapeur, 1988).
Marguerite Bonnet, *André Breton* (José Corti, 1975).
Jean-Jacques Brochier, *L'aventure des surréalistes* (Stock, 1977).
François Buhot, *René Crevel* (Grasset, 1991).
Michel Carassou, *Jacques Vaché et le groupe de Nantes* (Éd. Jean-Michel Place, 1986).
Michel Carrouges, *André Breton et les données fondamentales du surréalisme* (NRF, 1950).
Jacqueline Chénieux-Gendron, *Le surréalisme* (PUF, 1984).
Victor Crastre, *André Breton* (Arcanes, 1952).
Pierre Daix, *La vie quotidienne des surréalistes* (Éd. Hachette, 1993) ; *Aragon* (rééd. Flammarion, 1994).
Charles Duits, *André Breton a-t-il dit passe* (Denoël, 1969).
Jacques Dupin, *Miro* (Éd. Flammarion, 1993).
Gérard Durozoi, Bernard Lecherbonnier, *Le surréalisme* (Larousse, 1972) ; *André Breton* (Larousse, 1974).
Max Gérard, *Dali* (Draeger, 1968-1974).
Mary Jayne Gold, *Marseille année 40* (Éd. Phébus, Paris, 2001).
Julien Gracq, *André Breton* (José Corti, 1948 ; nouv. éd. 1977).
Dʳ René Held, *L'œil du psychanalyste, surréalisme et surréalité* (Petite Bibl. Payot, 1973).
Marcel Jean et Arpad Mazei, *Histoire de la peinture surréaliste* (Le Seuil, 1959).
Alain Jouffroy, *Une petite cuiller dans le bol* (Éd. Paroles d'Aube, 1999).
Ado Kirou, *Le surréalisme au cinéma* (Arcanes, 1953 ; nouv. éd. mise à jour, Le Terrain vague, 1963).
Petr. Kral, *Le surréalisme en Tchécoslovaquie* (Gallimard, 1983).
Pierre Lecherbonnier, *Surréalisme et francophonie* (Éd. Publisud, 1992).
Gérard Legrand, *André Breton et son temps* (Le Soleil Noir, 1976).
René Louis, *Dictionnaire du mystère* (Éd. du Félin, 1994).
Claude Mauriac, *André Breton* (Éd. de Flore, 1949).
Jules Monnerot, *La poésie moderne et le sacré* (NRF, 1945).
Maurice Nadeau, *Histoire du surréalisme* (Éd. du Seuil, 1945 ; nouv. éd., 1970).

Lucienne Peiry, *L'art brut* (Éd. Flammarion, 1997).

Gaëtan Picon, *Journal des Surréalistes* (Éd. Skira, diff. Flammarion, 1986).

José Pierre, *Le surréalisme* (Fernand Hazan (éd.), Dictionnaire de poche, 1973) ; *L'univers surréaliste* (Somogy, 1983) ; *L'aventure surréaliste autour d'André Breton* (Éd. Fifipacchi, 1986).

Michel Random, *Le grand jeu, essai* (Denoël, 1970).

Marcel Raymond, *De Baudelaire au surréalisme* (Corréa, 1933).

Georges Ribemont-Dessaignes, *Déjà jadis* (René Julliard, 1958).

Bernard-Paul Robert, *Le surréalisme désocculté* (Université d'Ottawa, Canada, 1975).

A. Rolland de Renéville, *L'expérience poétique* (NRF, 1938).

Michel Sanouillet, *Dada à Paris* (Éd. Flammarion, 1993).

David Silvester, *Magritte* (Éd. Flammarion, 1993).

Michel Thévoz, *L'art brut* (Éd. d'art Skira, Genève, 1975).

André Thirion, *Révolutionnaires sans révolution* (Robert Laffont, 1972).

Paul Veyne, *René Char en ses poèmes* (Éd. Gallimard, 1990).

Patrick Waldberg, *Le surréalisme* (Skira, 1963).

TABLE DES MATIÈRES

Imprimé en France
par Vendôme Impressions
Groupe Landais
73, avenue Ronsard, 41100 Vendôme
Décembre 2002 — N° 49 877